大人のための
文学「再」入門

都甲幸治

立東舎

大人のための文学「再」入門

まえがき

コロナで世界が一変してしまう直前のことだから、二〇二〇年の始まりのころだったろうか。徐々に海外でコロナウイルスが広がり始めて、日本でも流行るんだろうか、そうなったらどうなるんだろうか、と半ば他人ごとのように噂しあっていた。ほんの数年前のことなのに、思えば遠い過去のような気がする。

まだギリギリのどかな時代で、誰もマスクなんかせずに笑顔で互いに会話していられた。大学の授業のあとも、だらだらと学生と世間話をする心の余裕もあったのだ。そうしていたある日、女子学生にこんなことを言われた。先生が朝日新聞に書いてる書評、お母さんがすごく楽しみにしてるんです。それで、あまりに好きすぎて、新聞から切り抜いて冷蔵庫に貼って、いつでも見られるようにしてるんですよ。

この言葉に僕は強い衝撃を受けた。大げさな言い方かもしれないが、人生が変わった。あるいは、既に人生が変わってしまったことを僕に告げる言葉だった、と言ってよい。

二〇代三〇代のころの僕は、まさに自分自分、という感じの人間だった。文学研究者としても翻訳家としてもひよっこで、人が誰も知らないようなこんな本も知っている、こんなに難しい作品も読める、こんなに変わった作品も訳せると、とにかく自分のすごさや偉さを人に認めさせたくて仕方がなかった。ということはつまり、誰からもすごいとも偉いとも思われていなかった、ということである。お恥ずかしい。

とにかくだからこそ、難しければいい、マイナーならなおいい、という形でせっせと仕事を積み重ねていた。それが若いということなんじゃないかな、と今では思う。そうやって実力を上げ、下地を作っていたのなら、そこまで悪いことじゃない。けれども傍から見れば、あまりみっともいいもんじゃないってこともわかる。

二〇一〇年から二〇一一年にかけて読売新聞で書評委員をやっていたときも、基本的にはそういう姿勢で頑張っていた。ものすごく難しい本を選ぶ。千ページもあるような本を短時間で読み切る。本を読むだけでなく、背景の情報をわざわざ外国語で集め、たった八百字ほどのスペースにみっちりと詰め込む。そうやって、一人でも多くの人に自分の実力をわかってもらおうと頑張り続けた。あまりに頑張りすぎて疲れてしまい、少々うつ気味になったほどだ。

それで多くの人に喜んでもらえたか、と言えば心もとない。そもそも人は、難しい本より面白い本を読みたいわけだし、同じくらい魅力的なら、千ページより百ページのほうがありがたい。だってみんな忙しいもんね。しかも、情報を詰め込みすぎた書評より、いいな、と感覚的に思える書評のほうが、読んでいても楽しいだろう。

けれども当時の僕には、そんなことは考えもつかなかった。要するに、他人のことを考えている余裕がなかったのだ。さて、自分自分という感じでやっていた書評は、取り上げた本の著者や翻訳者の方には喜んでもらえたけど、結局はそこ止まりだったように思う。

まあ勉強にはなったけど、それは自己満足でしかない。

だからこそ、二〇一八年から二〇二〇年にかけて朝日新聞で再び書評委員をやり、そうやって学生のお母さんという、同業者ではない人に感覚的に気に入ってもらえたのがすごく嬉しかった。文学者としての僕の人生が新たな局面に入った、という感じがした。

そこで何が起こっていたのかといえば、感覚の共有だと思う。文学において知識や論理は重要だ。でも、もっと大事なのは生活の感覚のようなもので、感情がどう動くか、どう人と人の心が触れ合うか、みたいなことが何より大切である。

自分の偉さを前に出そうとしていると、そうした感情や感覚が疎かになってしまう。そして、知識や理屈で相手を抑え込もうとする。これでは人は離れていくしかない。そうではなくて、相手が入ってこられる対話の空間を作ることが大事なのだ。直接会ったことはないけれど、朝日新聞での書評を介して、僕は学生のお母さんと感覚や感情をわかち合える、バーチャルな場所を作れたんだな、と実感した。そしてそれは、今までの自分にとって未開拓の空間だった。

ふだん大学では若い人たちを相手に文学を教えている。だいたい一八歳から二三歳ぐらいまでで、大学院生といっても、せいぜい三五歳までの人しかいない。もちろん、彼らとの交流は楽しい。現代的な感覚を教えてくれるから、僕が心を閉ざしさえしなければ、彼らのおかげでどんどん自分を更新していける。それに彼らは、まだ大人としての心の硬さみたいなものが身についていないから、こちらの言葉を直接的に受け止めて反応してくれる。だからこっちもあまり構えなくていい。要するに大学とは、教育者としてちゃんとした大人でありながら、同時に子供でもいられる場所、である。

そうしたところに居させてもらえるのはとてもありがたいことだ。僕は以前も、そして今も、大学で教えることをとても楽しんでいる。けれどもそこには確実に限界もあった。三〇代前半で教師になったときには感じていなかったけど、毎年着実に学生たちとは年齢が離れていく。そうすると、僕の感じることや考えることも変わっていく。やがて四〇代になり、五〇代に入ってくると、感覚や興味も変化する。それでも自分の中にある十代、二〇代、三〇代の部分をフルに活用して授業をするのだが、そこに物足りなさを感じている自分がいた。

つまり気づけば、挫折や、悲しみや、衰えや、死など、大人なら誰しも避けて通ることのできない事柄について、もっと深く話したいと思うようになっていたのだ。けれどもふだん会うのは、相変わらず二〇歳前後の若者である。彼らにとってそうした話は、SF的な、遠い世界の出来事でしかない。自分の親たちを通して見聞きはしても、なかなか自分のこととして感じることはできない。学生たちはみんな優しいから、僕に話は合わせてくれるが、彼らとのあいだにそこはかとないズレを感じることが多くなってきた。

だからこそ、学生のお母さんに喜んでもらえている、という話を聞いてすごく嬉しかった。結局、僕はもっと大人と話したかったのだ。そしてそうした試みは、カルチャーセンターの講師になることで深められていった。実は書評委員と並行して二〇一九年に、青山にあるＮＨＫ文化センターで講師を始めていた。この仕事は今でも続けている。

最初は対面で、そして二〇二〇年からはオンラインで、アメリカ文学の作品を、文庫本や英文の短篇の形で、それぞれ月に一度ずつ読み続けてきた。もちろん受講生は二〇代三〇代の人もいるけれど、主力は四〇代五〇代だし、六〇代以上の方もたくさんいる。そうした幅広い受講生たちと文学についてワイワイ話すのは、とても新鮮な経験だ。

何より、大学にこもって本ばかり読んできた僕とはみな、かなり違う人生を過ごしてきている。バブルの時期にイケイケ会社員だったおじさん、アメリカの一流大学で研鑽を積み、そのあと日本に戻ってきたおばさん。大学教授や翻訳家や作家といった、ほぼ同業者の人たち。そしてまた、様々な職業や立場を経験しながら、わかち合う相手もいないまま、ただ黙々と文学作品を読んできた人たち。

そうした年齢も、性別も、経験も、価値観もまるで違う人たちと同じ本を読み、ワークショップ形式で語り合うのは、ただひたすら楽しい。それに僕は彼らに驚かされ続けてきた。たとえば、Ｊ・Ｄサリンジャーの『ライ麦畑でつかまえて』だ。

僕は今まで、高校を中退した主人公のホールデンに感情移入して読んでばかりいた。この本を最初に読んだのが高校時代だったのだから無理もない。けれども、講座でこの本を読むと、一生懸命大人に向かって自分なりの表現で話している姿がかわいいと、ある受講生の女性は言うのだ。こうした、ホールデンを母親的な視線で見るとどう映るか、なんて考えたこともなかった。

ジュンパ・ラヒリの『停電の夜に』もそうだ。一週間ほど夕食時だけ停電になる、という機会を摑まえて、冷え切った夫婦が久しぶりに様々なことを語り合う。そして良い雰囲気になったかなと思ったところで、二人は死産した息子の話を初めてする。そのあと互いに泣き崩れる。

僕はこの作品を何度も読んだことがあったが、そのたびに、愛はこんなふうに壊れていくのだ、という様を繊細に描いた作品として捉えていた。けれどもそれは違う、と受講生の一人に言われたのである。二人は今までちゃんと向かい会えなかったからこそ、死んだ息子のことも言えなかったのだ。でもこうやって腹の底から語り合えた以上、二人の関係は今後は上向くしかない。つまり、このバッドエンドに見える結末こそが、新たな未来を二人で紡ぎ出していく出発点なのだ。

その意見を聞いたとき、僕はものすごい衝撃を受けた。まだまだ自分の読みは甘かったと思った。確かに、作品は自由に読んでいい、と学生たちに教えながら、僕自身がそこまで自由には読めていなかったのである。つまりは、教科書的な正解から離れるのが怖かったのだ。でも、バッドエンドからこそ未来が始まる、というのは確かにそうだ。そして人間は、ふだん思っているよりもっと複雑で豊かで強い。

ここ五年ほど、最初は新聞書評という形で、そして次にオンラインでのカルチャーセンターの授業というやり方で、大人が再び文学作品を手に取り、ともに語り合い、生きるということについて考える、という場所を一貫して僕は作り上げてきた。

もちろん、大学という、主に若者向けの場所も大切だ。けれども学校を卒業しても、良くも悪くも人生は続く。楽しいこと、悲しいこと、辛いこと、嬉しいことは僕たちの人生に次々と襲いかかってくる。そもそも文学とは、そうした普通の人々の日々に寄り添い、自分を捉え直させてくれる、バーチャルな場所だったのではないか。

そして、そうした気づきを共有できる、言わば大人のための文学「再」入門ができる場所が必要なのではないか。本書では、この五年ほどのあいだに書いた書評やエッセイを、ざっくりとテーマ別にまとめている。こうした家族や愛、仕事などの大きなテーマは、我々が常日頃感じつつ生きているものだ。その点では、誰にとっても他人事ではない。この本が書物という形で、大人が文学について和気藹々と語れる場所を生み出せていたら嬉しい。

都甲幸治（とこう・こうじ）

一九六九年福岡県生まれ。翻訳家、早稲田大学文学学術院教授。著書に『ノーベル文学賞のすべて』、『「街小説」読みくらべ』、『今を生きる人のための世界文学案内』、『世界の8大文学賞』、『きっとあなたは、あの本が好き。』、『読んで、訳して、語り合う。都甲幸治対談集』（以上、立東舎）、訳書にトニ・モリスン『暗闇に戯れて　白さと文学的想像力』（岩波文庫）、チャールズ・ブコウスキー『郵便局』（光文社古典新訳文庫）、ドン・デリーロ『ポイント・オメガ』（水声社）などがある。

目次

まえがき　5

・「家族と故郷」について
樹木の力――堀江敏幸『オールドレンズの神のもとで』　22
過去からの声に耳を澄ますこと――坂口恭平『徘徊タクシー』　26
日米の文化深く理解し物語に――ジェイ・ルービン『日々の光』　30
支配者も飲みこむ暮らしの厚み――オルガ・トカルチュク『プラヴィエクとそのほかの時代』　32
死者につながるものを集めて――ハン・ガン『すべての、白いものたちの』　34
暴力が連鎖する世界を生き抜く――ビアンカ・ベロヴァー『湖』　36
消えた町、戦争と暴力の記憶――ファン・ジョンウン『野蛮なアリスさん』　38
切なく輝く　悪意に傷ついた心――今村夏子『父と私の桜尾通り商店街』　40
人類の未来に広がる無限の孤独――上田岳弘『キュー』　42
虐げられた者の思い刻む文学――フィリップ・ロス『プロット・アゲンスト・アメリカ』　44

・「愛」について

インドとアメリカのあいだ――ジュンパ・ラヒリ『停電の夜に』 48
悲劇をのり越え、信じ、愛する――イサベル・アジェンデ『日本人の恋びと』 54
川沿いをゆく二人の手の温もり――パク・ミンギュ『ダブル』 56
確かにあった愛の微熱の記録――ミヤギフトシ『ディスタント』 58
時間を超える苦悩、出口を模索――朝吹真理子『Timeless』 60
沈黙やしぐさからも思いは伝わる
――ヤーコ・セイックラ、トム・アーンキル『開かれた対話と未来　今この瞬間に他者を思いやる』斎藤環『オープンダイアローグがひらく精神医療』 62
サリンジャーの見事な人生――映画『ライ麦畑の反逆児』 65

・「日常」について

村上春樹を引き継ぐ――パク・ミンギュ『カステラ』 72
ニットとペットボトル――チョン・セラン『アンダー、サンダー、テンダー』 78
検索の外へ――柴崎友香『公園へ行かないか？　火曜日に』 91
弱さこそ恵みとなる詩の原理――ジェラール・マセ『つれづれ草』『帝国の地図』 100

小さな喜びがもたらす豊かさ――メイ・サートン『74歳の日記』 102
語学で鍛えた想像力が「教養」に――黒田龍之助『物語を忘れた外国語』 104
新しい言葉でつながる越境の旅――多和田葉子『地球にちりばめられて』 106
猫の教え受け、物語の向こうへ――保坂和志『ハレルヤ』 108

・**「生き延びること」について**

次の世代に何を残せるのか――ヘミングウェイ『老人と海』 112
犬になること――山下澄人『月の客』 115
戦争が引き裂く個の悲しみ――ヴィエト・タン・ウェン『シンパサイザー』 120
人生の哀切さ　奥底の生命力――シルヴィア・プラス『メアリ・ヴェントゥーラと第九王国』 122
遊牧民の知恵と生きる難民たち――アブドゥラマン・アリ・ワベリ『トランジット』 124
人種差別との過酷な闘いを体感――ジョン・ルイス、アンドリュー・アイディン『MARCH』 126
ありのままのこの世界こそ神秘――プラープダー・ユン『新しい目の旅立ち』 128
「弱い自己」こそ和解や解決へ導く――モリス・バーマン『デカルトからベイトソンへ』 130
冗談さえも抵抗、ノーマンの地――岡真理『ガザに地下鉄が走る日』 132
心開いて人と出会う　米国の旅――江國香織『彼女たちの場合は』 134

命つなぐ手料理、内戦への抵抗――山崎佳代子『パンと野いちご』 136
女性の生きづらさ、鋭く問う――村田沙耶香『地球星人』 138

・「社会」について

父親のいない世界――谷崎由依『囚われの島』 142
少女たちの闘い――マーガレット・アトウッド『誓願』 146
心の言葉――津村記久子『サキの忘れ物』 150
デジタル画面が消えた日常――ドン・デリーロ『沈黙』 154
弱い命に手を差し伸べる心――J・M・クッツェー『モラルの話』 156
効率偏重が生む悪、現代にも――フランコ・モレッティ『ブルジョワ』 158
日本と台湾、人の数だけ存在する――温又柔『空港時光』 160
「自治の感覚」の源、粘り強く思索――岸政彦『はじめての沖縄』 162
言葉から逃れ、他者受け止める――千葉雅也『意味がない無意味』 164
境界なく出会う場　再生への試み
――東浩紀『ゆるく考える』石田英敬、東浩紀『新記号論』 166

・「仕事」について
見えないものたちの声を聞く――いしいしんじ『マリアさま』 170
漢字に息づく命が動き出す挿話――円城塔『文字渦』 172
地図のない世界、心躍る感覚――坂口恭平『建設現場』 174
自分の時間取り戻す夢の連なり――中原昌也『パートタイム・デスライフ』 176
本気の遊びで、言葉に魂を――町田康『湖畔の愛』 178
答は一つではない 無限の対話へ――與那覇潤『歴史がおわるまえに』『荒れ野の六十年』 180
投げ返されたボール――川上未映子・村上春樹『みみずくは黄昏に飛びたつ』 183

・「記憶」について
自分を愛せるようになる手助け――リンドグレーン『長くつ下のピッピ』 188
フェアであること――三浦哲哉『LAフード・ダイアリー』 195
死んでも「さえない日常」にほろり――エトガル・ケレット『クネレルのサマーキャンプ』 200
過去からよみがえる新たな表現――ダニエル・ヘラー＝ローゼン『エコラリアス』 202
自分の中の「他者」と付き合う――伊藤亜紗『記憶する体』 204
非人情こそ人間的という逆転――吉村萬壱『前世は兎』 206

楽器や書物から聞こえる死者の声――小川洋子『小箱』『約束された移動』 208
不意に、偶然訪れる大切なもの――町田康『しらふで生きる』『記憶の盆をどり』 211
埋もれた言葉の宝　掘り当てる――福嶋亮大『百年の批評』 214
あとがき 216

「家族と故郷」について

樹木の力——堀江敏幸『オールドレンズの神のもとで』

そこには、いつも樹木がある。短篇「窓」に出てくる皮膚科のガラス窓の外では、墓地に並ぶ木の葉が音もなく風に揺られている。彼がこの古い病院に来たのは子供時代以来だ。高校卒業後にこの街を出て、三〇代後半で戻った彼はいまだ、過去と現在を摺り合わせている途中だ。だから、お医者さんを見て驚く。

なんと、「艶のある黒髪をひっつめた、目の大きな、当時のままの先生」だったのだ。彼女はそのままで、自分だけが二十年歳を取ったのか。そんなはずはない。実は中学時代に彼の同級生だった娘さんがあとを継いでいたのだ。彼はその面影にかつての少女を見る。病院の窓から見える、音もなく揺れる木々は動く風景画のようだ。絵が好きだった彼女は、樹木のある風景画をたくさん書きたいと言っていた。耳の奥で中学時代の彼女の声がよみがえる。

主人公である彼は感覚が鋭い。おまけに、人から自分がどう見られるかをいつも気にしている。だから、得意先の家に招かれて古いソファに坐り、盛大にダニにやられてしまったときも、変な音がするのではないかと気になってうまく掻けない。皮膚科に来ても、出てしまった自分の腹を見て彼女がどう思うかと悩む。

だがだからこそ、彼の感覚が外界に向かうとき、そこには驚きがある。「患部に触れそうで触れない白いてのひらから発せられるかすかな熱を感じている」。触れてしまえば、そこには温かな圧迫感しかない。だが空気を通して揺らぐ彼女の体温の熱は彼の感覚を鋭敏にさせる。

図書委員としてカウンターに二人で並んでいたときもそうだった。自分でも知らぬまま彼女の横顔に見とれていた。それを他の友達に感づかれたっけ。あのころも彼女は「ボールペンと人差し指を親指で丸め込むような持ち方」をしていた。そして知らず知らずのうちに、彼は再び、彼女の手元や横顔を見つめてしまう。

手には指輪はない。名札には昔と同じ名字が書いてある。もしかしたら。それを単なる中年男の恋愛妄想と笑うことはできないだろう。現に今、二人は窓の外にひろがる風景を共に見ているのだから。共通の記憶を持ち、言葉を交わすことなく同じものを愛でる時間を過ごせる関係が、愛にまで深まっても何の不思議もない。

短篇「果樹園」では夏みかんの木が重要な役割を果たす。主人公は、ある夫婦の犬、オクラとレタスを預かって散歩させるアルバイトをしている。布製品を扱う会社で働いてきた彼だが、交通事故に遭い、休職して実家に戻り、身体を癒やしている途中なのだ。ようやく頭痛と左半身の痺れはおさまって来たが、実はまだ犬の世話をする自信まではない。

だがそれは彼の思い過ごしだった。足の不自由なオクラは身体が常に左に傾いてしまう。兄弟のレタスはオクラの左に回って支える。「嫉妬心や競争心といったものが、この犬にはない。レタスを眺めているだけで、内側に蓄積されてきた破裂しそうなにかが、ゆっくりと鎮まっていくような気がする」。

言葉もなく無心でただ、そこにいること。そのとき彼は確かに、二匹の犬に大切なことを教わっている。身体に触れ、ペースを共有しながらともに歩む。「散歩にも、声だけではない対話が必要なのだ」。会社では、言葉で円滑なコミュニケーションを取りながら、効率的に行動することが求められた。けれどもそこには、身体の触れあいも、無私の支え合いもない。

だからこそ、仕事を覚え、効率が極限まで達したとき彼は事故に遭う。それは、人生を形作るもう一つの原理へと自分を開いていくきっかけとなる。散歩の途中で見た、美容院にある鉢植えの夏みかんには実だけあって香りがない。そしてあの事故の日、芳香剤の容器からは、強い柑橘類の匂いだけが漂っていた。

夏みかんの実だけ、あるいは香りだけ、というあり方は、会社員時代の彼の生活を象徴している。果たして彼は、それら二つを統合した人生を手に入れることができるだろうか。二匹の犬にゆっくりと触れ続ける日々の中で、彼は確実に癒やされ、そして人生における大切なものに気づきつつある。

短篇「平たい船のある風景」はセンダンの木を巡る家族の話だ。都心のマンションに住む共稼ぎの主人公は、子供を育てながら限りなく疲れ切る。彼は妻の実家近くにある土地が売り出されたと聞き、大きな決断をする。どうしてもこの場所に住みたい。

なぜそう思ったのか。いちばんの理由は、妻が子供時代に大好きだったセンダンの木が敷地にあったからだ。「枝のひろがり方がとてもきれいな、あの近辺でいちばん好きな木だった」。そうなるともう理屈ではない。その木に導かれるように土地を買い、妻の希望通り、そこに平屋の家を建てる。

心身の変化はすぐに現れた。八階に住んでいたころとはまったく違う。「地面に近いところで暮らすことが、こんなにも心地よいとは思わなかった。心の足腰が安定して、五感が鋭くなる。なにより、音がよく聞こえるようになった」。

都会に住んでいたときには、感覚を鈍らせないと、たくさんの刺激に人は耐えられない。けれどもこの場所では、感覚を開いてもかまわないと、頭より身体が先に気づく。センダンの木の花が放つ匂いも強烈に感じる。それだけではない。子供も、妻も、そして主人公も、木から力をもらって強くなる。心身共に健やかになる。

堀江の文章は地味で静かだ。だがその淡い表現の細部には、過酷な現代社会に押しつぶされないための確かな思索が隠れている。そして、愛を求める情熱がある。そこに気づいた読者は、正確な文章を読むことの喜びに震えながら、主人公たちと共に時間を生き、共に回復できるだろう。

初出：『すばる』２０１８年８月号（集英社）

過去からの声に耳を澄ますこと——坂口恭平『徘徊タクシー』

空港の待合室で偶然、蜜柑の匂いをかいだ恭平はまるでプルーストのように、別の時空に連れ去られてしまう。「蜜柑の皮を剥いた瞬間に噴霧スプレーのようにシュッと飛び散る柑橘の薫りは、鼻腔にへばりついている記憶を引き出した」。子供のころ、神社の石段を上りながら彼は、蜜柑畑からネーブルをもいで食べていた。その横を、蜜柑を満載したトロッコが高速で走っていく。

東京で高名な建築家のもと、修行に励んでいる彼の月給はたったの三万円だ。夢を持って入った職場だが、徐々に彼は疲れきる。母親にも認められず、何より自分を尊敬できない。せっかくいい大学に入ったのに、医者にだってなれたのに、母親は残酷な言葉を投げつけてくる。どうして自分の好きなように生きられないのか。どうして立派な人間にならなければいけないのか。

突破口は故郷、熊本での出会いだ。日光の強いこの場所で、夕日を浴びた人々は蜜柑になる。「夕日は次第に葉っぱだけでなく、僕ら全員を蜜柑色にした」。世界は色彩を取り戻す。灰色の東京で凍りついた恭平の心が溶けていく。彼を導いてくれるのは曾祖母のトキヲだ。

ボケた彼女は、とっくに社会の枠を突破している。白線を無視して道の真ん中を歩きながら、自分だけが知っている目的地を目指して、一直線に歩いていく。彼女を介護しているつもりで一緒に歩いていた恭平だったが、やがて二人の上下関係は逆転してしまう。実はトキヲは神社の境内に現れた、幻の山口県に向かっていたのだ。

若いころ住んでいた山口で、トキヲは労働運動をし、人々を救おうとしていた。彼女の目の前で、現在の熊本と過去の山口が重ね描きされる。等間隔で広がり進んでいく近代の時空が大きく歪む。恭平は気づく。無いことになっている過去もまた、今ここに存在しているのではないか。いや、むしろ無いことになっているもののほうにこそ命の真実があるのでは。

たとえば演歌だ。死んだ祖父のワーゲンにトキヲと乗り込むと、祖父のカセットテープから、都はるみの『涙の連絡船』が流れだす。「音源がライブ版だったこともあって、僕とトキヲが乗ったワーゲンは盛大な拍手と共に見送られている。トキヲは手をガラス窓に押し当て、観客の声援に応えた」。見えない観客の前でトキヲはスターになる。そして藤色のストールをまとったトキヲはエジプトのミイラになり、都はるみの歌はモロッコに響くベルベル人の声に変わる。

演歌だけではない。鉄の芸術家であるズベさんは任侠ばかりの銭湯で都々逸を高らかに唄う。祖父の葬儀では、祖父自身が作った相撲甚句が朗々と唄われる。死んだはずの祖父は声となってよみがえり、参列者に感謝を述べるのだ。おしゃれで西洋的な音楽に埋めつくされた東京から脱出し故郷に戻ることで、恭平は別の次元から響いてくる、別の声と出会う。

坂口恭平は写真やノンフィクション、ドキュメンタリー映画などの形で、多彩な活動を続けてきた。最近では『幻年時代』など、小説にまで挑戦している。だが『徘徊タクシー』を読むと、彼が一貫して同じことを追求していることがよくわかる。それは、過去からの声に耳を澄ますこと、だ。

河原に住もうと決意した人々が廃材を組み合わせて家を建てる。生きるためには、産業化され清潔さが徹底した現在では失われた知恵や工夫を想起し、再発明しなければならない。あるいは、『坂口恭平躁鬱日記』で彼は、現代社会に適応できない自分の体にひたすら耳を傾ける。そこに立ち上がってくるのは、ふだん忘れられている、我々の身体の古代的なあり方だ。

ボケ老人だ、ホームレスだ、病人だと決めつけられ、役に立たない者たちとして排除された人々にこそ英知がある。坂口は彼らのもとへ赴き、徹底して謙虚な姿勢を貫きながら、理解しにくい彼らの声を捉え、作品の形で翻訳してくれる。今ここにある別の現実をフィールドワークする彼は文化人類学者であり、言葉の正確な意味において芸術家だ。

そして、失われた者たちの声の響きを常にすくい取ろうとしてきた小説は、坂口にとって理想的なメディアとなり得るだろう。今はただ、新たな小説家の登場を祝福したい。

初出：『波』2014年8月号（新潮社）

日米の文化深く理解し物語に――ジェイ・ルービン『日々の光』

米の玉を包む黒い紙に歯を立てたとたん、海の匂いと塩辛さが口中に拡がり、ビル青年の中で、ある記憶がよみがえる。立ち並ぶバラック、ミツという名前の女性。いったい本当は、自分は誰なのか。ビルはそこから、過去を巡る長い旅に出る。

第二次大戦前、シアトルの日系人向け教会の牧師を勤めていた父親のトムは、日本から渡ってきた光子と激しい恋に落ち、再婚する。トムと前妻との子であるビルを、光子は実の子のように溺愛した。だが日米開戦がすべてを変えてしまう。

表ではあれほど神の愛を説いていたトムだが、内なる人種差別的な偏見に突き動かされるまま光子を捨て、彼女を慕うビルまで捨てる。二人が向かったのは、アイダホ州の砂漠地帯にある、ミニドカの強制収容所だった。離婚成立後、トムはビルを引き取り、光子は交換船で日本に戻る。そしてトムは、光子にまつわる一切を息子から隠してしまう。

長じて事実を知ったビルは日本語を学び、愛する日本の母に一目会いたいと日本に渡る。そこで彼が知ったのは、光子の家族を襲った、東京大空襲、そして長崎の原爆という、あまりにも重い歴史だった。

ミステリー仕立ての本書は、とにかく読んでいて面白い。いったい何があったのか、果たして光子は見つかるのか。読者は作品の世界にぐいぐいと引き込まれる。偏狭な信仰を持つ白人男性、社会的な圧力に追い込まれる日系人たち、戦争の暴力に苦しむ日本人たちと、歴史や文化の異なる複数の人々がどんなふうに感じ、考え、行動したかを内側から生き生きと体験できるのも、この作品の魅力だろう。

再婚相手に捨てられ、老いさらばえたトムは息子に許しを請い、すべてを打ち明ける。独善と隠蔽はついに彼を幸福にしなかった。これはそのまま、日系人の強制収容所など、不都合な過去を書き換え続けてきた政治への批判にも通じるだろう。何より「人々が正義を掲げて殺すことをやめないかぎり、この世界に安らぎはない」というビルの言葉は我々の心に直接突き刺さる。

これほど日米双方の文化を深く理解し、体得している書き手を僕は見たことがない。著者が村上春樹や芥川龍之介の作品を始めとする、優れた日本文学の翻訳者でもあることが、この作品には大きく貢献している。過去を生きた複数の人々の声に耳を傾け、彼らの到達した叡知を、我々にわかる言葉へ翻訳すること。翻訳家から作家への変容は、ジェイ・ルービンにとって必然だったのかもしれない。

初出：『日本経済新聞』２０１５年９月13日

支配者も飲みこむ暮らしの厚み
――オルガ・トカルチュク『プラヴィエクとそのほかの時代』

天使が人々を見守る。死者たちの列が通り過ぎる。森の中を悪い何かがうろつく。けれどもこれは、遠い古代の話ではない。第一次大戦から民主化にいたるポーランドの現代史を、田舎町プラヴィエクの人々が日々見つめ続ける。

中心にあるのはニェビェスキ家とボスキ家で、家族の歴史が一世紀に渡って語られる。だからガルシア＝マルケス『百年の孤独』にも近い。もちろん違いはある。マルケス作品に出て来るのはコロンビアの密林だが、本作の森にはたくさんの茸が生えていて、そのすべては菌糸でつながっている。

それだけではない。もちろん男性も出てくるものの、強い存在感を示すのは女性たちだ。第二次大戦中、ドイツ軍に占領され、次いでソ連軍のロシア人たちがやってくる。支配者が変わるたびに、村のユダヤ人たちは虐殺され、圧倒的な暴力で村全体が廃墟と化す。

それでも女性たちは子供を産む。もし女の子なら、戦争が終わる徴候だと思う。村人は言う。「みんな娘がほしいわ。もしみながいっせいに女の子を産みはじめたら、世界は平和なのに」。

中でも印象的なのはクウォスカだ。孤児の彼女は裸足で、農作物を盗み、施しを受け、体まで売って生き延びる。村中の人々に蔑まれても、彼女は自分を見下さない。むしろ世界から多くを学びながら、それを自分の中にしっかり取り入れて成長し続ける。

ナチスの兵士、異国風の顔をしたソ連軍の青年など、村人たちはやって来たすべての人と関わり、感情を交換し、ときに愛すら感じる。謎のゲームに興じて部屋から何年も出てこない領主や、障害で一生働けない男性など、物語の視点は様々な人物に移り変わる。

彼らは歴史に名を残すこともない。だが毎日の生活の中にも歴史は入り込み、多くの苦悩を与える。普通の人々の暮らしって、こんなに不思議で悲しく、分厚いんだ。本書を読んで小説の新たな可能性を感じた。

初出：『朝日新聞』２０２０年２月１日

死者につながるものを集めて――ハン・ガン『すべての、白いものたちの』

人里離れた家で、女はたった一人で子を産む。助けを呼ぶこともできず、「しなないでおねがい」という祈りも虚しく、やがて娘は息を引き取る。真っ白な産着は、そのまま白装束となる。

二〇一六年にブッカー国際賞を受賞し、現代韓国文学を代表する存在となったハン・ガンは、そうした不在の物語のただ中で育った。もし姉が生きていたら、私はこの世にいなかったのだろうか。そして彼女は自分の魂と体を明け渡して、姉をこの世に呼び込む。

きっかけとなったのは、半年におよぶポーランド滞在だ。かつてナチスに完全に破壊されたワルシャワを、人々は根気強く再建した。かろうじて残った土台や柱を使いながら、その上に同じ街をもう一度築いたのだ。

彼らの粘り強い抵抗と哀悼の姿勢に学びながら、ハン・ガンは自分の心の内に閉じこもる。そして薄明の中、彼女は、会ったことのない姉の気配を感じる。

本書には様々な白いものが登場する。街に降り積もる雪、洗い立ての寝具、寒い日の息。それら一つ一つを、彼女は丁寧に集めていく。なぜならそうした徴は、あるものを指し示しているからだ。

母から聞いた、まるで丸い餅のようだった、真っ白な姉の顔。何にも汚されることのない白さは私たちの中にもあって、白いものを見たときに内側から心を揺さぶる。そして、どんな人も生きていていいのだ、周囲から大事にされていいのだ、と囁く。
断片的な文章や写真を集めたこの本は、死者を悼み、死者とともに生きることを巡って書かれている。僕が好きなのはこの挿話だ。亡くなった母親のために、森の岩の上で、真っ白なチマとチョゴリを弟が燃やす。やがて青い煙となってそれらは消えていく。「あんなふうに白い衣裳が空に沁み込んでいけば魂がそれを着てくれると、私たちはほんとうに、信じているだろうか？」。信じているかどうかは問題ではない。ただ、僕らは静かに、そうだと知っているのだ。

初出：『朝日新聞』２０１９年３月２日

暴力が連鎖する世界を生き抜く――ビアンカ・ベロヴァー『湖』

暴力に満ちた世界に、子供が一人で投げ出される。そのとき、生きることの苦痛と美しさが輝く。まだ十代のナミは独りぼっちだ。両親はどこにいるのかもわからず、彼を湖の側で育ててくれた祖父は漁の事故で死に、骨折した祖母は生きながら小舟で湖に流される。湖の精霊をなだめるため、というのが表向きの理由だ。

農場長に家を奪われ、鶏小屋に住むことを余儀なくされたナミが村を出て行くと決意したのは、銃を持ったロシア兵たちに恋人のザザが森で襲われたからだった。彼はタンカーに乗り込み、首都に向かう。そこに行けば、少ない手がかりをたぐり寄せて母親に再会できるかもしれない。だが運命は彼を翻弄する。

一九七〇年生まれのベロヴァーは本書でEU文学賞を獲得した。クンデラやフラバルに続く世代として、今や彼女は現代チェコを代表する書き手である。『湖』で描かれた世界は暗い。旧ソ連の一部だろうか、ここではロシア人たちが圧倒的な支配者として君臨している。たとえ彼らが罪を犯しても、地元の警察や裁判所は処罰できない。

法の支配がない世界で、幅を利かすのは強さの論理だ。男たちは女性や子供を殴り、動物を撃ち殺す。農場長がナミに友好的な態度を示すのは、肉体労働で身につけた彼の屈強な筋肉を目にしたあとだ。暴力は暴力を生む。こんな不毛な連鎖を抜け出す方法はないのか。ナミを助けてくれた老婦人は言う。「いい、つねに逃げる用意を、戦う用意をしておかないとだめなの」。だがそれだけでは足りない。

印象的なのは祖母の姿だ。床板の隙間に住み着いた蛇にミルクをやりながら彼女は言う。「家に蛇がいると幸せになるのよ」。自分のできる範囲で、優しさと慈しみの場所を作ること。蜂蜜を入れた甘いお茶とともによみがえる、幼いころの愛の記憶は、ナミを内側から支え続ける。チェコの人々がくぐり抜けてきた歴史の過酷さと、彼らの強さが伝わる作品だ。

初出：『朝日新聞』２０１９年６月15日

消えた町、戦争と暴力の記憶――ファン・ジョンウン『野蛮なアリスさん』

女装ホームレスのアリシアが、再開発で消え去った町、コモリを言葉でよみがえらせる。そこに立ち現れるのは、いないことにされてきた人々の世界だ。

子供時代、朝鮮戦争で北から逃れてきた父親は孤児になり、この町で下男として雇われると、見下されながらもなんとか金を摑もうとする。成人してようやく家を手に入れ、立ち退きのための莫大な補償金をせしめても、家族の心は通いはしない。

勉強する機会も得られないまま親に殴られて育った母親は、アリシアと弟を激しくせっかんすることでしか、自分の感情を表現できない。耐えかねた兄弟が行政に助けを求めても、家族の和が大事だと言われて追い返されるだけだ。

近代化する社会の中で、戦争の記憶や家庭内の暴力は不都合なものとして隠されてしまう。だがそれは、見えない臭いとして人々につきまとう。殺された共産主義者の埋まっている地下には下水処理場がある。「匂いは透明な霧のように突然コモリに漂いはじめ、人の粘膜にくっつく」。

同様に、アリシアと弟の直面した悲劇の記憶も回帰する。兄を探して家を出た弟は、下水処理場から流れ出した大量の汚泥に埋もれて死ぬ。母親への怒りを体に刻みつけるように女物の服を身にまとったアリシアはさまよいながら、消滅した町について語り続ける。

一九七六年生まれのファン・ジョンウンは、数々の文学賞を受賞した、現代韓国文学を代表する一人だ。ときに幻想的になる彼女の作品は、近代化に伴う忘却の暴力に向き合いながら、それに対抗する力を見据えている。

たとえば生き抜くために、アリシアと弟は空想の生き物「ネ球」の話を共同で作る。こうした遊びの間だけ、二人は柔らかな魂の深みを受け入れ合う。ときたま挟み込まれるこんな親密な挿話に、僕は現代においてもいまだ文学が存在することの意義を感じた。これほど勇気ある作家を隣国に持てて、我々は幸福だ。

初出：『朝日新聞』２０１８年4月21日

切なく輝く　悪意に傷ついた心――今村夏子『父と私の桜尾通り商店街』

純粋であることは悪なのか。今村夏子の作品を読むたびにそう思う。真っ直ぐで心が開きっぱなしの主人公は世界の悪意に傷つく。そしてそのとき、彼女たちの心は切なく輝く。

本短篇集に収録された「白いセーター」の主人公もそうだ。クリスマスイブの夜、彼女は「大好きな伸樹さんと、大好きなお好み焼きを食べにいく」約束をする。だが知らない番号の電話に出たせいで、彼女の人生は大きく変わる。

電話の相手は伸樹の姉だった。その日の昼間に四人の子供を預かってくれというのだ。教会に行く途中で、彼らは臭いホームレスが来たら叫んで追いだそう、と相談する。そして教会の中で、末っ子の陸は誰かに向かって「でていけーっ！」と絶叫する。

とっさに主人公は陸の口を手で塞ぐ。それでも暴れるので鼻をつまむ。すると陸は渾身の力を込めて、主人公の両胸をパンチする。しかも主人公が陸を殺そうとしたと、長男の大雅は伸樹の姉に訴える。彼女は息子の言葉ごと、伸樹にその事実を告げる。

どうして子供たちはそんな言葉を吐くのか。身近な大人である親が、いつもそう言っているからだ。こうした排除の思想は「正義」のふりをして、子供の中まで入り込む。そして新たな暴力を生む。

今村夏子はいつも、弱い者から見た世界を描いてきた。たとえば『星の子』では、カルトの家に生まれた少女の日常が語られる。そこには多くの苦しみがある。だが同じだけの優しさや喜びもある。

「白いセーター」で主人公は、虫嫌いの伸樹が店でゴキブリを見たらどうしよう、と悩む。そして伸樹はお好み焼き屋で、汚れや臭いが付かないように、彼女のセーターをコートで包んでくれる。他の場面に底知れない悪意が出てくるほどに、そうした小さな善意が、とても愛おしく感じられる。

結局、主人公は伸樹と別れたのだろうか。それはわからない。けれども彼女は僕の心の中でこれからも生き続けるだろう。

初出：『朝日新聞』２０１９年４月27日

人類の未来に広がる無限の孤独——上田岳弘『キュー』

インターネットによって人類の脳がつながった。そしてAIがすべての思考を置き換えていく。この先に何があるのか。本作によればこうだ。我々の個別の肉体すら、不要なものとして捨て去られるだろう。

物語は第二次大戦前後、現代、そして七百年以上先の未来が交錯しながら進む。立花茂樹は満州で、石原莞爾の側近として働きながら、彼の思想を現実化すべく努めている。その内容はこうだ。世界には一つの意志の元に人類を統合しようとする錐国《ギムレッツ》と、あらゆる権威に抗う等国《レヴェラーズ》という二つの原理が働いている。錐国とはこうしたものだ。「参謀殿の言葉を聞きながら、私は人種を超えて蠢く人々を頭に思い描き、まるでこの惑星全体が一つの生物であるような感慨を抱いていた」。だが等国を打ち立てようとした彼らは敗れ去る。

決定的な戦いは未来で起こる。錐国の原理が勝利したのち、人類は統合され、地表を覆うゲル状の物質になった。もはや地球上の生き物はこの物質、一人しかいない。それに立ち向かうのが、現代からコールド・スリープでこの時代にまで到達した青年だ。彼は人類の意志を司る、輝く赤い板に向い合い、人類の方向を決定的に変え得る言葉を吐く。

半世紀間の寝たきり生活からよみがえった茂樹、孫の徹、そして彼の高校時代の友人である恭子が三つの時代にアクセスしながら、読者とともに二つの原理の戦いを見守る。S

F仕立ての設定の中で、次々と謎が明かされていく展開に、読者は飽きる暇もない。

だが最も重要なのは、耐えがたいほどの寂しさの出現だろう。効率化の果てにたった一人しかいなくなった人類は、無限の孤独に苦しむ。だからこそ、はるか昔の世界から生身の青年を呼び寄せたのだ。

人は異なり、理解はすれ違う。だがだからこそ、我々は出会い、愛しあえるのだ。無駄なものの賛歌である本書は、現代社会を正面から撃つ。

初出：『朝日新聞』２０１９年8月10日

虐げられた者の思い刻む文学——フィリップ・ロス『プロット・アゲンスト・アメリカ』

現代アメリカで最も偉大な作家、ロスが亡くなった。僕らはそのことにもっと驚かなければならない。一九三三年ニュージャージー生まれの彼は、一九五九年の『さようならコロンバス』以来、キリスト教国に暮らすユダヤ人の苦難や、父と息子の葛藤、強い性欲に振り回されることの苦しみなどを真正面から扱ってきた。

人生の汚辱をリアルに捉える彼の作品はどれも危険だ。昨今流行の、こぎれいで道徳的な小説とは違う。ロスの文学は、貧しい移民の怒りや、差別された者の心の傷や、無視されてきた者の叫びに満ちている。まさに元祖マイノリティ文学であり、それこそが文学の本流であることを感じさせてくれる。

たとえば『プロット・アゲンスト・アメリカ』だ。第二次世界大戦がヨーロッパで勃発したのに、アメリカ合衆国はなかなか参戦しない。実は大西洋横断で国民的な人気を得て、大統領にまで上り詰めたリンドバーグは、ヒトラーにあやつられていたのだ。大統領本人がユダヤ人に対する差別発言を繰り返す中、ロス家の人々は徐々に追いつめられる。

公正でない政府には従わない、という信念を持つロス家の父親は、保険外交員の職を失ってもニュージャージーに留まる。だが実際に百人以上のユダヤ人が虐殺されてしまう。いざカナダに逃げようとすると、すべての国境が封鎖される。人気者の大統領が危険な政策を繰り出す本作は、まるでトランプ時代を予言しているようだ。

『父の遺産』はその父親の死に焦点を当てた作品である。長年差別と闘いながら、保険外交員を続けて所長にまで上り詰めた父。その脳に巨大な腫瘍が発見される。残された日々は長くない。息子のフィリップは実家に通いながら、父や祖父のアメリカでの苦闘に思いをはせる。

ラビの教育を受けながらも帽子工場で働き、生涯イディッシュ語しか話さなかった祖父。人を助け支えたいという強固な倫理観を持ちながら、他人は自分ほど強くないという事実を理解できない父。退職後の父は妻を罵り続けるが、いざ彼女が死ぬと弱り果ててしまう。

ある日、父がバスルームでぶちまけた大量のウンコを掃除しながら、フィリップはこれこそが父の遺産なのだと思う。今この瞬間、父が生きているという現実。それが自分の命にもつながっているのだ。頑固で、曲がったことを許さず、常に批判的で、でも冗談が大好きという父親の性質は、息子にもそのまま受け継がれている。ロスの膨大な作品の源はこの父だったことが本作を読むとよくわかる。

『素晴らしいアメリカ野球』は史上最弱の大リーグ球団を描いたコメディ作品だが、本作もまた、正義を求める意志に貫かれている。実は第二次大戦後まで、愛国リーグという第三の大リーグが存在した。けれども巨大な陰謀によって、記憶からも記録からも抹消されてしまったのだ。

そのリーグで不思議な輝きを放っていたのがマンディーズだ。腕や脚がなかったり、英語がほとんど話せなかったり、極端に年寄りだったりする選手ばかりのポンコツ球団の彼らはある日、ホームの球場すらアメリカ軍に奪われてしまう。「アメリカのいけにえの羊」となった彼らは、大リーグで唯一アウェイの試合だけを続けて、アメリカ大陸をさまよう。打ち負かされ、笑われるだけの彼らは、それでも闘う意志を失わない。

放浪を続け、ついには完全な忘却に晒されるという彼らはもちろん、迫害を受け、ナチスによるホロコーストの犠牲者となったユダヤ人を象徴している。ダメ人間だって密かな思いはあるんだ。こうしたロスの強い意志は、パク・ミンギュ『三美スーパースターズ最後のファンクラブ』などの現代作品にも、きちんと引き継がれている。

初出：『朝日新聞』２０１８年7月28日

※初出時タイトルは「(ひもとく)追悼、フィリップ・ロス　虐げられた者の思い刻む文学」

「愛」について

インドとアメリカのあいだ――ジュンパ・ラヒリ『停電の夜に』

インド英語が苦手だ。そのことをいちばん意識したのは二〇〇一年、ロサンゼルスの南カリフォルニア大学に留学したときだった。大量の留学生たちがホールに集められ、そこで様々な説明を受ける。留学生といえども、年に一度は確定申告をしなければならない。そこで呼ばれたのがインド系の会計士だった。カリフォルニア州の複雑な税制について、彼は延々、一時間にわたって熱弁をふるってくれた。けれども残念、インド英語の独特な訛りに親しみがなかった僕には、一言も聞き取れない。ただ呆然としたまま、なんだかよくわからない時間がゆっくりと流れていった。

どうしてそんなことになったのか。今ならばわかる。日本で英語を勉強していたときには、イギリスとアメリカの標準的な英語が正しく、それだけを勉強していれば世界中どこへいってもどうにかなる、と教わっていた。けれども現実は厳しい。インドだけでも一二億人、そして英語を第二言語、第三言語として話している世界中の人々の人数を考えたら、英米風の英語を話している人なんて、割合としては少ししかいない。しかも多くの英語話者は、歴史的に生まれてきた、あるいは自分だけでひねり出したアクセントで日々、堂々とコミュニケーションをしているのだ。

さて、こうしてインド英語をひたすら避けて生きてきた僕だったが、最近インドと直面せざるを得なくなった。大学の教員になったら、同僚としてバングラデシュ人の女性が赴任してきたのだ。バングラデシュとは、一九四七年のインド独立時に分離したパキスタンから、一九七一年にこれまた分裂してできたイスラム教徒の国家だ。インドとは宗教こそ違うものの、文化的、言語的な差異はほとんどない。もちろん同僚だから、会議や年中行事なんかでも一緒にやるしかない。すなわち僕は、インド英語を聞き取れなければ業務をこなせない、というはめに陥ったのだ。

いたしかたない。けれどもこの試練に立ち向かううちに、だんだんと光が見えてきた。まず、彼女と一緒にいる時間が長ければ長くなるほど、インド英語の聞き取り力がアップしていった。そして次には、なんと自分もインド英語風にしゃべれるようになってきたのだ。すなわち、日本の職場で僕は着実にインド化していったのである。なぜだ？　コミュニケーションが楽になると、今度は彼女の独特な英語哲学に目を開かれていった。英語だって道具でしかないんだから、文法や発音にこだわらず、ただどんどんしゃべればいいのよ。インド人は数百年前から英語を使っているんだから、もはや英語はインドの言葉です。確信に満ちた彼女の言葉を聞いていると、最初は反撥を覚えたものの、徐々に僕はこれまでにないすがすがしさを感じ始めた。

日本ではみんな、イギリスやアメリカが本家で、英米の人にはとても英語ではかなわないと思い込んでいる。けれどもバングラデシュ人の同僚には、こうした劣等感はみじんもない。むしろ数千年の歴史とサンスクリットの高い文化を誇る我々インド人が、英語も使ってやっている、という感じだ。こんな世界の認識方法があったのか。僕には目からうろこだった。ポストコロニアルと呼ばれる難しい理論ではもちろん、こういう理屈があることは知っていた。けれども、彼女を見ていると、それは抽象的な理論なんかでは全然なく、イギリスとの長い歴史を踏まえたインド人の実感そのものなのだとよくわかる。

バングラデシュや、インドの大都市コルカタを含む地域では、ベンガル語が話されている。日本語を上回る二億人の話者を誇るこの言語圏出身の文学者といえばなにより、ノーベル賞を受賞した詩人タゴールだ。そして現代作家で最も知られているのがジュンパ・ラヒリである。しかし実は彼女は、この地域に住んだことがない。一九六七年に父親の仕事の都合でロンドンで生まれ、幼いころアメリカの東海岸に移住した彼女は、二重の生活を強いられて成長した。ここらへんの事情は彼女のエッセイ集『べつの言葉で』で詳しく述べられている。家庭では両親にベンガル語を強制され、一方学校では完璧な英語を話すべく努力を重ねるしかない。けれどもベンガル語はなかなかうまくしゃべれるようにはならず、英語がいくら完全でも、常に外国人として見られ続ける。どこにも居場所のない彼女にとって、本を読むこと、そして文章を書くことだけが落ち着ける場所だった。

やがてラヒリは、村上春樹作品などがよく掲載される雑誌『ニューヨーカー』の常連寄稿者となり、一九九九年にデビュー作『停電の夜に』を出版する。アメリカ育ちだがインドとのつながりをなんとか取り戻そうとする若者、常に故国を思いながら戻れない大人たち。アメリカに住み、インドと様々な距離を持つ登場人物たちは複数の言語や文化のあいだで揺れる。それにともない愛情も揺れ、ある場合には無残にも夫婦関係が壊れてしまう。この作品でいきなりアメリカ最高文学賞の一つであるピュリッツァー賞を獲得したことからも、彼女の高い評価はわかるだろう。欧米とアジアという二つの文化の狭間で苦しむ人々、という点では、彼女のテーマは日本人の読者にとっても他人事ではない。

冒頭の短篇「停電の夜に」はこんな話である。主人公のシュクマールは三五歳でまだ大学院生をしており、インドについての博士論文をまとめている。妻のショーバは編集者だ。二人の関係は最近うまくいっていない。妻が流産をしたあと、二人の会話は減り、顔を合わせない時間が増えていく。こんなはずじゃなかったのに。出会ったころはあんなに美しいと思ったショーバの容貌も、今ではシュクマールは衰えばかりを見出してしまう。結婚当初はあんなに体を求めあったのに、もはや触れ合うこともない。この事態を変えたのは停電だった。夕食時にだけ一週間停電が続くと、二人は闇の中で秘密を打ち明けあうゲームをする。徐々に再び心を開き合えるようになった彼ら。だがシュクマールが希望を抱いたとたん、状況は思わぬ展開を見せる。

この作品でラヒリはこう問いかけている。欧米では、恋愛が幸せな結婚につながるとされている。けれども恋愛の興奮は日常の中で、遅かれ早かれ退屈にたどりついてしまう。ならば欧米風の恋愛結婚は破局を運命づけられているのではないか。このラヒリの問いが欧米文化の外から発せられていることは、同じく収録されている短篇「三度目で最後の大陸」を読むとわかる。ラヒリの父親をモデルにしていると思われる主人公の男性は、インドからアメリカに来て図書館員をしており、兄夫婦の紹介でマーラという女性をインドから呼び寄せ結婚する。彼女のことをほとんど知らないにもかかわらず、独身時代世話になった百歳過ぎの大家さんの前で、主人公は突然こう考える。「私は心の中で、いずれこの女が死んだら私はどうかしてしまう、私が死んだらこの女がどうにかなってしまうと思った」。そして彼はじっくりと数十年かけてマーラと愛情を育んでいく。そして最後に夫婦は思う。「夫婦に他人みたいだった時期のあることが不思議でたまらない」。

もちろんインド、あるいは古い日本のお見合いに優れたところがあるからと言って、もはや我々は昔に戻ることはできない。けれども恋愛結婚のほうが現代的、という常識は単なる思い込みでしかないと気づくだけでも、また別の世界が見えてくるのではないか。この他にも、遠くバングラデシュにいる知人に祈りを捧げる「ピルサダさんが食事に来たころ」など、『停電の夜に』にはいい作品がいくつも収録されている。複数の文化に根ざした小説を読むことで、僕たちの精神の地平は拡がるだろう。

初出：『英語で読む村上春樹』２０１６年５月号（ＮＨＫ出版）

悲劇をのり越え、信じ、愛する──イサベル・アジェンデ『日本人の恋びと』

愚痴を言うな、人に頼るな。競争社会で勝つために、僕らはそう言われてきた。けれどもそれだけでは生きられない。人に触れ、優しさを与え合うことが必要なのだ。本書はそのことを教えてくれる。

舞台はサンフランシスコの老人施設だ。東欧モルドバからの貧しい移民であるイリーナはここの職員になり、様々な老人たちに出会う。中でも彼女が惹きつけられたのは、テキスタイルのデザイナーである大金持ちのアルマだった。彼女の秘書として活動するうち、イリーナはアルマの大きな秘密を知る。

アルマは従兄弟のナタニエルと結婚していた。しかしそれと並行して、天才的な庭師イチメイとの愛を半世紀以上に渡って育んでいたのだ。しかも実はナタニエルはゲイで、二人の関係を知っていた。秘密が次々とあばかれていき、読者は息つく暇もない。

背景となるのは二つの歴史的な悲劇だ。ユダヤ系のアルマはアメリカ到着後、ホロコーストで両親を殺される。そしてイチメイは太平洋戦争時の日系人強制収容で、砂漠の真ん中に送られる。子供時代に出会ってすぐに愛し合った二人は国家の手で引き裂かれ、再会しても人種や階級の壁を越えられない。

だがそれでも、二人は人目を忍んで愛を育み続ける。その姿に触れることで、かつて幼児ポルノの犠牲者だったイリーナの硬い心は溶け始める。再び人を信じたい、と彼女は思う。そしてアルマの孫であるセツの愛をおずおずと受け入れるのだ。

一九七三年のクーデタで暗殺されたチリの大統領の姪であるアジェンデもまた、歴史の暴力に翻弄されてきた。デビュー作『精霊の家』以来、彼女の作品は多くの読者に愛され続けている。「愛とユーモアでのんびり行くこと、二歩進んで一歩さがるダンス式に進んでいけばいい」というセツの楽観的な愛し方に惹かれた。どんなに辛い過去があっても、それでも僕らは愛し合えるし、家族になれるのだ。

初出：『朝日新聞』2018年4月7日

川沿いをゆく二人の手の温もり――パク・ミンギュ『ダブル』

ガンの宣告を受ける。もう助からないという。田舎町からソウルに出て大学に行き、就職して、結婚もせずに十五年間、がむしゃらに頑張ってきた。ならば自分は何のために生きてきたのか。

休職し故郷の町に戻る。三十年前に友人と埋めたタイムカプセルを掘り返す。中には、ベトナム戦争帰りの叔父さんがくれた、軍用の羅針盤が入っていた。もう人生の方向なんてとっくに見失ってしまったのに。

懐かしいみんなは、流れた時間分老けたまま、相変わらずでいてくれた。彼らと酒を酌み交わしながら、主人公は久しぶりの温もりを感じる。もちろん病気のことは言わない。

そしてスニムだ。主人公は彼女に、少女時代の面影を見る。独身の二人はおずおずと近づく。五月の川沿いの道を歩く。つないだ手に力が入る。

お互い今まで、いろんなことがあった。それでも今、自分は幸せだと言えるんじゃないか。「一瞬だったけど、一瞬でも／一瞬であっても／一人じゃないというあの気分が僕は、嫌ではなかった」。

本短篇集の冒頭に収録された「近所」は切ない。それは読者の誰もが、主人公に自分の姿を見てしまうからだ。あくせく働いて、気づけば月日が流れ、遠いと思っていた死に突然向い合うことになる。

でもそれだからこそ、ほんの少しの温かさが限りなく尊い。著者は言う。「最近は人間自体がマイノリティだと思う。誰もが不幸を抱えた、気の毒な存在ではないか」。パク・ミンギュの作品は、人間の弱さにそっと寄り添ってくれる。それは、長篇『ピンポン』や『亡き王女のためのパヴァーヌ』でも変わりない。だから彼の作品は信用できる。

本書には、SFやファンタジーなどを含む多様な短篇が収録されている。そのすべての作品において、登場人物たちは精一杯苦闘し、死んでいく。そして読者は彼らと共に生きる意味を探す。韓国文学の最良の成果がここにある。

初出：『朝日新聞』2020年2月15日

確かにあった愛の微熱の記録――ミヤギフトシ『ディスタント』

哀しくて、切ない。こんなに近くにいるのに、愛している、の一言が言えなくて、そのまま会えなくなってしまう。あのとき、どうすればよかったのか。そして貴重な一瞬を反復するように、写真家となった主人公は、愛の光景を演じてはフィルムに収め続ける。

三本の中編連作で綴られるのはこんな物語だ。沖縄の離島から、病気の母親と一緒に那覇に移住した小学生の主人公は、同じクラスのクリスと出会う。アメリカ人の父親と日本人の母親を持つ彼に主人公は惹かれていく。気づけば色素の薄い彼の髪を、肌を、緑色の目を見つめている。彼の家に通ってアメリカ映画を見るほど親しくなるが、母の病気が治ると、主人公は離島に帰るしかなくなる。

彼がまた那覇に戻ったのは、高校生になってからだ。一人暮らしを始めた主人公は、タワーレコードで偶然、クリスと再会する。部屋で音楽を聴き、酒を飲み、たわいない時間を共有する。沈黙さえも快い。だが同性であるクリスに、主人公は愛を告白できない。そうして関係が壊れるぐらいなら、曖昧なまま、一瞬一瞬を味わうだけでいいじゃないか。けれどもそんな時間は、クリスに彼女ができて突然終わる。

自分が楽に自分でいられて、好きな人と愛し合える場所はないのか。那覇を出た主人公は大阪、ニューヨーク、東京と移り住む。故郷からできるだけ遠くに。知っている人が誰もいない場所へ。彼は寒い都会をさまよう。そして気づけば、自分が誰かを問い続ける写真家になっている。だが、理想の場所は見つからない。

一九八一年生まれのアーティストである、ミヤギの描く男性の身体はなまめかしい。「振り向きざまに、四本の細い指に目を奪われた。優雅な曲線を描く指が酔いの中で揺らいだ」。主人公の目は、愛撫するようにうなじや顎の線を辿る。級友の白いTシャツ越しに浮かんだ背骨に見とれる。男の美しさをこんなふうに摑み取れるのか、と思う。

僕が好きなのはこのシーンだ。クリスと会えなくなる直前、公園で彼が主人公の両肩に触れる。「載せられた手の感触を記憶しようと両肩に意識を集中する。でも、秋の乾いた空気が首筋を撫でて、そこにあった微熱のようなものを感じる前に奪い去ってしまった」。

あのときのかすかな熱は、確かにそこにあった。そして『明るい部屋』でロラン・バルトが言うように、もう消えてしまったが確かにそこにあったものを写し取れるメディアが写真だ。

いや、もう一つある。小説は一つの世界を形作って、感情を保存してくれる。おそらく本書こそ、主人公が自分自身で居られる不在の場所なのだろう。人が人を愛する、という単純なことを正面から扱った力作だ。

初出：『朝日新聞』２０１９年６月１日

時間を超える苦悩、出口を模索——朝吹真理子『Timeless』

うみの両親は人を愛せない。母はお茶の輸入の仕事で世界を飛びまわりながら、愛人を取り替え続ける。一人っ子のうみの世話はお手伝いさんと祖父母の担当だが、誰も彼女とは遊んでくれない。長く別居中の父が現われるのは、父親ぶろうとしてうみを食事に誘うときだけだ。

金と物しかない家庭の中で、うみは限りなく傷ついていく。そして人を愛することに臆病になる。また傷つけられるのではないかと思うと、自分の心をさらけ出せない。そんな彼女が選んだのが、何の愛情も感じないアミと結婚することだった。

アミとなら気遣いのある家族が作れるはずだ。しかも結婚すればもう、恋愛をしなくてすむし、子供がいれば寂しくない。だがこうした合意に基づいた夫婦関係は短期間で崩壊する。アミがうみを愛し始めてしまうのだ。結局アミは出ていき、息子のアオが生まれる。同時にうみは、まったくの他人であることよみを養子として受け入れる。

両親によるうみの虐待は凄まじい。肉体的な暴力こそないものの、二人のもっともらしい言葉と裏の感情のずれが、絶えずうみに襲いかかる。自分勝手な母は彼女にほとんど触れようともしないし、父親は赤いポルシェでうみが吐くと、目に「殺意のような昏さ」を浮かべて舌打ちをする。

うみの愛のない結婚は、気持ちを受け止めてくれない両親への復讐だろう。だがそれでも両親はうみに関心を持たない。唯一の救いはこよみだ。血縁のないうみとこよみだけが、この作品では真の家族となる。うみによく似た女性として育った彼女はロンドンに行き、自力で人生を切り開く。

両親、うみ、アオと続く精神的な暴力の連鎖は時間《タイムレス》を超える。古典文学や音楽、アート、ブランド品の名前がちりばめられた静かな文章の向こうには、生々しい苦しみがある。ならば出口はないのか。その模索である本書は、きちんと時代の苦悩を貫くことができている。

初出：『朝日新聞』2018年9月15日

沈黙やしぐさからも思いは伝わる
——ヤーコ・セイックラ、トム・アーンキル『開かれた対話と未来　今この瞬間に他者を思いやる』斎藤環『オープンダイアローグがひらく精神医療』

あなたを助けたい。苦しむ者を前にして人はそう思う。そして、間違いを指摘する。良いやり方を助言する。だが「叱咤や批判で変わる人はいない」(斎藤)。かくして相手は心を閉ざし、全力で抵抗する。

なぜ善意は失敗するのか。「正しい」言葉を発した瞬間、相手は正しくない者になる。いいからお前は私の言う通りにしろ。こうした言葉は暴力でしかない。そして苦しむ者をより苦しめる。

ならばどうすればいいのか。視点を変えよう、と斎藤は言う。苦しむ者の言葉も、善意の助言も、実はともに独り言でしかない。そして独り言は悪い方向に行きがちだ。だからこそ、対話が必要なのだ。苦しむ者の言葉を病的だとか妄想だとか決めつけず、しっかり耳を傾けてみよう。遮ってコメントしたくなったとしても、こらえて最後まで聞いてみよう。

そのとき伝わってくるのは言葉の内容だけではない。声のトーンや表情、身体から立ち上る雰囲気まで、あらゆる情報がやってくる。そこに全身を浸しながら、今度は自分の中に湧き上がる言葉を返す。いや、言葉だけではない。沈黙や仕草もまた重要な意味を持つだろう。

独り言を対話に開くこと。オープンダイアローグとは、つまりはそういうことだ。そこには何の魔術もない。だがこの手法がフィンランドの北部にある、設備が充実しているとは言えない小都市で生まれ、精神医学の革命となった。

オープンダイアローグを行っている地方では、通常の治療よりかなり良い結果が出ている。そして元患者の多くが順調に社会復帰している。いったいどうやって治したのか。だが実はこの手法では、患者を治そうとしない。

病院に連絡があると、即座にチームが組まれる。そのチームは基本的に、治療の終わりまで変わらない。しかもそのチームに医者だけではなく、看護師や患者の家族、友人までが含まれる。

そして全員の発言が尊重される。「受付窓口の看護師の声は、医師の声と同じくらい重要です」（セイックラ）。そこには完全な平等がある。もちろん患者の言葉も同じだ。チームは患者の危機という、未曾有の経験を言い表わす言葉を協力して探る。それは果てしなく創造的な作業となるだろう。この経験は患者にとって未知なだけではない。メンバーそれぞれにとっても未知のものだ。

だからこそ、みなが共に進化する必要がある。自分は変わらず、相手だけ変えようとする不毛な姿勢はここにはない。やがて治癒がおとずれることもあるだろう。だがそれは成長の副産物でしかない。

あえて治癒を目指さない姿勢は、北海道浦河町の「べてるの家」にも共通している。真の変革は地方から生まれることがよくわかる。

初出：『朝日新聞』2019年9月28日

サリンジャーの見事な人生——映画『ライ麦畑の反逆児』

僕らはホールデンについてよく知っている。『ライ麦畑でつかまえて』の中で、高校を退学になり、クリスマス休暇にたった一人、ニューヨークの街をほっつき回る彼の悲しみや淋しさは、読んで何年経っても心の片隅に残り続ける。

だけど、彼を生み出したJ・D・サリンジャーについてはよく知らない。単に昔の人だから、ではない。一九一九年生まれの彼は、二〇一〇年に亡くなるまで、ほとんど一世紀近い時間を生き抜いてきたのだから。そして十年ほど前まで生きていた人を、僕らは普通、昔の人とは呼ばない。

実は彼の人生に対する僕らの無知は、サリンジャー本人の手で故意に作られたものだ。写真を公開しない。マスコミの取材を受けない。公的な場所には出ない。それだけではない。一九六五年に「ハプワース16、1924年」を発表して以来、作品の出版すら止めてしまった。

謎の作家という彼のあり方のせいで、サリンジャーは極端なまでの有名人となった。『ライ麦畑でつかまえて』だけで六五〇〇万部を世界で売り上げたことだけでも、もはや伝説的な存在といっていい。だがなぜ彼がそんな人生を選んだのか。

情況が変わってきたのは二〇〇〇年代に入ってからだ。様々な資料を使った伝記がようやく出版され始め、彼の人生の細部までが明らかになってきた。中でも決定的なのが、二〇一〇年にケネス・スラウェンスキーが書いた『サリンジャー　生涯91年の真実』である。

父親の無理解に苦しみながら作家を志し、後にチャーリー・チャップリンと結婚することになる女性、ウーナ・オニールとの恋に破れる。軍人としてノルマンディー上陸作戦に参加し、ナチスと闘い、数々の激戦地を巡り、ユダヤ人の強制収容所の開放にも立ち会いながら、戦場で『ライ麦畑でつかまえて』の草稿を書き続ける。帰国して一躍有名作家になるも、戦争による心の傷に悩み、やがて隠遁生活を選ぶ。

サリンジャー本人について知る上で、スラウェンスキーの伝記は画期的だ。そしてこの本に基づいて作られた映画『ライ麦畑の反逆児』は、正確な事実を踏まえながら、彼や周囲の人々の生きざまを、きちんと内側から捉えて再現している。だから、戦争によって一度、心が毀れてしまった彼が、文学やインド思想との出会いによって、どう生き延びようとしたのかを観客は体感できる。

僕が魅せられたのは、編集者ウィット・バーネットとサリンジャーの関係だ。精肉やチーズの業界で大立者だった父親に何をしても否定され続けて育ったサリンジャーは、何度も学校を退学になる。だが、コロンビア大学の創作講座で講師であるバーネットと出会い、彼は生まれ変わる。

反抗的なサリンジャーの才能をバーネットはきちんと褒めながらも、足りない点をきちんと指摘する。自分が主宰している雑誌『ストーリー』に処女作の掲載を決めても、すぐには彼に伝えない。早すぎる成功は、本気で作家になりたいという気持ちを弱めてしまうと知っているからだ。

教師としてのバーネットは熱狂的でユーモアがあり、自分の弱さをさらけ出しながら、ときに厳格になる。そして彼の文学への、さらに学生であるサリンジャーへの姿勢は常に真っ直ぐだ。バーネットを演じるケビン・スペイシーの演技はとても説得力がある。

サリンジャーは少しずつ彼を、指導者として、そして在るべき父親として受け入れていく。バーネットの本気に、サリンジャーの本気が共振する。反抗という仮面の裏から、心底信じられる相手との本当の関係を見つけたい、という気持ちが現われる。

サリンジャー役のニコラス・ホルトも良い。ニューヨークという都会で育ち、洗練されながらもその奥に限りないナイーブさを隠す青年を好演している。彼のしゃべり方や身のこなしを見ても、とてもイギリス人とは信じられない。とにかく、自分の才能の巨大さに苦しむアメリカの青年にしか見えないのだ。

一九五〇年代において、サリンジャーという存在がいかに新しかったかも、映画を見るとよくわかる。短篇は掲載を断られ続け、長篇『ライ麦畑でつかまえて』すら何社にも断られる。当時の編集者たちには、きれいごとでない愛や苦しみを描く作品がどうにも理解できなかったらしい。

苛烈な戦争体験をくぐり抜けて形作られた、心をむき出しにするようなサリンジャーの作品は時代を変えた。『ライ麦畑でつかまえて』が先導するように、続いてジャック・ケルアックやウィリアム・バロウズと言ったビートの作家たちが生まれ、アメリカの現代文学にまでその影響は及ぶ。

しかしながら、サリンジャーの作品が現代において十分に理解されているかはいまだ疑問だ。確かに、作家としてのサリンジャーを形作ったのはバーネットである。けれども、たくさんの戦友たち、そしてPTSDで苦しむ彼に心の平安を教えた禅やインド思想の導師たちの影響が彼をどう変えたかについて、解明が進んでいるとは思えない。

確かに、ある特定の思想に行きついてしまえば、もう文学とは言えないかもしれない。なぜなら、文学は答えではなく、常に問いを続ける過程だからだ。けれども、良く生きることを自分に課したサリンジャー本人にとって、自分が書くものが文学かどうかなど、もはや問題ではなかったのではないか。

サリンジャーの生涯を描いたこの映画は、こんなふうにしか生きられなかった人生を、不器用に生ききった彼にきちんと寄り添っている。だから作品を見終わった僕らは思わず、見事な人生だった、と呟くしかない。

初出：朝日新聞社の本の情報サイト「好書好日」２０１９年１月17日

「日常」について

村上春樹を引き継ぐ――パク・ミンギュ『カステラ』

こんなに声が小さくて、恥ずかしがりやの大人の男を見たことがない。神田の古本屋街にある韓国文芸カフェ「チェッコリ」でパク・ミンギュのイベントに参加したとき、僕は心底驚いてしまった。日本での最新作『亡き王女のためのパヴァーヌ』を読んで、村上春樹の作品に深い影響を受けながら独自の作品を生みだしている彼にとても興味がわいたのだ。

確かに四〇代半ばの彼は、少しだけがっちりとしていて、しかも大きくて派手なサングラスで顔を隠している。けれども作品を褒められるたびに、顔を赤らめ下を向いて「ありがとうございます」と答える。作品について説明してください、と言われても、じっくりと考えたあげく、訥々としか語らない。しかもその声がものすごく小さいのだ。ついに「後ろの人まで聞こえないので、もっと大きな声で話してください」とスタッフに言われると、彼はこう言った。「みんな韓国語がわからないのだから、日本語への通訳の声さえ聞こえれば問題ないんじゃないでしょうか。それに、そもそも私は、大きな声でしゃべる人間が嫌いなんです」。

大きな声でしゃべる人間とは誰だろうか。政治家？　社長？　教師？　共通して言えるのは、そうした人々は相手の話を聞くのが苦手そうだ、ということだ。そして声にならない声、言葉にならない感情はなかったものとみなしそうである。でも目の前の彼は、それとは正反対だった。しっかりと相手の言葉を受け止め、深く考え、少しずつゆっくりと小声で語る。おそらく話す内容よりも、その話し方にこそ強いメッセージが込められているのだろう。次第にその言葉の向こう側にある彼の強さとしなやかさが客席にも伝わってきた。終わったころには、聴衆の誰もが彼に恋をしていた。

『亡き王女のためのパヴァーヌ』は比喩の使い方も、遠くに行ってしまった恋人に会いに行くという設定も、その恋を何年も経ってからドイツで思い起こすという部分も、村上春樹の『ノルウェイの森』によく似ている。だから質疑応答では、そのことについて訊ねてみた。すると彼はこう答えてくれた。「『ノルウェイの森』は人間の実存について扱った深いものです。それに対して私の作品は、美しい者のみがもてはやされるという社会への批判をしています」。

そのときには、今一つ彼の言っていることがわからなかった。おそらく作品を一冊しか読んだことがなくて、彼がやろうとしていることをきちんと摑めていなかったんだと思う。けれども『カステラ』を読んで、ようやく「社会への批判」ということの意味がわかってきた。高度資本主義の中で、愛する人を大切にすることや正しく生きることの意味は踏みにじられてしまう。ただ価値が高いもの、能率がいいもの、美しいものなどが常に勝利する社会は、人間にとって大切な何かを見失っている。こういったことだ。

ちょっと先を急ぎすぎたかな。実際に『カステラ』を読んでみよう。二〇一五年に第一回日本翻訳大賞を受賞して、かなり話題になった作品だ。日本で韓国の翻訳文学が話題になった、ということ自体が僕には画期的なことに思える。だって少し前まで、みんなフランス文学やロシア文学、英米文学などしか読んでいなかったからね。ちょっと読書好きだったらこれに加えて中南米文学かな。でもまともに考えたら、地理的にも文化的にも近い韓国文学や中国文学を読まないほうがおかしい。だって、ヨーロッパや南北アメリカ大陸より東アジア文学のほうが、よっぽど共感しやすいはずでしょう？　東アジアには興味が持てないというなら、その人は日本も東アジアの一部であることを忘れている。

　パク・ミンギュの作品を読んでみて感じられるのは、村上春樹と高橋源一郎からの強い影響だ。レトリックは村上春樹によく似ているし、シュールでナンセンスな展開も辞さないところは、高橋源一郎っぽい。たとえばこうだ。表題作の短篇「カステラ」で、大学生の主人公はリサイクル店で凄まじくうるさい冷蔵庫を買う。なんとか直そうとして冷蔵庫の歴史を学ぶ場面は、村上春樹の『１９７３年のピンボール』で、ピンボールの詳細な歴史が語られる部分に近い。しかもこの冷蔵庫には不思議な力があった。大切なものと、この世にあると問題を引き起こすものをともに中にしまっておけるのだ。たとえば主人公が象を入れるときはこう。

象を冷蔵庫に入れる方法

1　ドアを開ける
2　象を入れる
3　ドアを閉める

簡単だね。そのあと主人公は中国を入れ、アメリカを入れる。ドアを開けてみると、広大な内部に中国人全員が納まっている。

動物、中でも象へのこだわりは村上春樹へのオマージュだろうか。この本には他にも、タヌキ、キリン、ペリカン、マンボウなどが重要な存在として登場する。けれども、こうした奇妙でちょっとふざけた書き方をしているからといって、『カステラ』の持つ社会への批判が浅い、ということにはならない。むしろその逆だろう。あまりにも批判が深いからこそ、そして語られている寂しさや苦しみが強いからこそ、ただ重いだけの書き方では伝えることができないものがあるのだ。

短篇「コリアン・スタンダーズ」ではその批判が明確になっている。主人公は、学生時代の先輩がやっている農場を手伝いに行く。学生運動の闘士だった先輩は刑務所に入り、出所後は他の仲間が左翼の元闘士として次々と政治家になる中、自分の志に忠実に、有機農法を行う共同体を田舎に開く。しかし協力者はだんだんと減っていき、やがてほとんど一人ぼっちになってしまう。どうして主人公は先輩を手伝うことにしたのか。それは就職後、いつしか昔の想いを失い、肩書だけを気にする人間になった自分に絶望したからだ。そして、愚かなまでに純粋で損ばかりしている先輩にまた会いたくなったからだ。けれども物事はうまくはいかない。先輩の農場は大量のＵＦＯに襲撃され、農作物や牛たちは次々に強烈な光線に焼かれてしまう。それでも先輩は優しい。都会に帰っていく主人公に、うまいぞ、と言って最後の米を持たせてくれる。

先輩のシリアスな調子と突飛すぎる展開、そしてＵＦＯによる襲撃後、主人公がなんと言っていいかわからず、「ここ……蚊が多いですよ」と言い出してしまうところなど、パク・ミンギュが読者を笑わせたいのか泣かせたいのか、読んでいてもよくわからない。けれども読み終わって感じるのは、大切なものを捨てなければ生きられなかったことの苦さと、ずっと捨てずにきた者の辛さだ。つまり、どっちを選んでも正解ではないのである。どうして人間は純粋ではいられないのだろう？　どうして正しさは優秀さや効率の良さに負けるのだろう？　現代社会に生きている人々で、こうした問いから無縁な者がいるとは思えない。すべてを焼き尽くすＵＦＯは、僕たちを日々駆り立て追い詰めてくる、巨大で匿名の力の比喩だろう。それに逆らって生きることは難しい。それでも、僕たちは大切なものを守ることはできないのだろうか？

パク・ミンギュはイベントでこう語っていた。「韓国では近代が圧縮されたかたちでやってきました。農村的な暮らしから高度経済成長、そして現在の資本主義社会まで、わずか三〇年ほどで移行したんですよ。今、みんな昔からiPhoneを使っていたような顔をして暮らしていますが、そんなわけないでしょう。僕たちが切り捨ててきたものは大きいんです」。たとえてみれば、日本の一九五〇年代から現在までの半世紀の流れが、韓国では八〇年代以降に急激にやってきたということだろう。大家族中心の人間関係から、急激に進展する資本主義への変化、それに対する反撥としての学生たちの政治運動や文化運動、インターネット以降の現代まで、四〇代半ばの彼はそのすべてを経験してきた。つまり、日本の二、三世代分の変化を一人でくぐり抜けてきたのだ。

だからこそ、遊びに満ちたポストモダン作品の意匠をまとったパク・ミンギュの作品の奥には、政治の季節とその挫折がある。資本主義の進展についていけない人々の苦しみがある。そして、こうした近代化の苦しみを感じている人々は、今も世界に無数に存在している。だからこそ、こうした課題を扱う村上春樹の作品は全世界で読まれているのではないか。近代化の痛みや高度資本主義への批判を、現代的に描く手法を村上は開発した。そして彼の手法を使って、アジアやその他の地域で、多くの作家が自分たちなりの作品を紡いでいる。パク・ミンギュの『カステラ』は、そのことを雄弁に教えてくれる。

初出：『英語で読む村上春樹』２０１６年４月号（ＮＨＫ出版）

ニットとペットボトル――チョン・セラン『アンダー、サンダー、テンダー』

チョン・セラン『アンダー、サンダー、テンダー』との出会いは僕にとって事件だった。もちろんパク・ミンギュの『カステラ』や『亡き王女のためのパヴァーヌ』を読み、高橋源一郎や村上春樹の始めた日本のポストモダン文学が韓国で独自の進化を遂げていることは知っていたし、ハン・ガンの『菜食主義者』や『ギリシャ語の時間』を見れば、ヨーロッパやアメリカの人々が思う世界水準の文学の書き手が韓国にもちゃんといることがよくわかる。彼女がブッカー国際賞を獲得したことも至極当然だと思う。

でもチョン・セランはそのどちらとも違う。パク・ミンギュのポップな楽しさと奇妙な悲しみでもなく、ハン・ガンの切れ味鋭い詩的な作品でもない。言ってみれば、若者たちの日常を描きながら、もう一つの日本現代文学として、しかも日本とは絶妙な距離感を持って立ち現れてくる小説だ。言い換えれば、日本の人々がなかったことにしようとしていることを集めて書かれた作品、とでも言えばいいのか。

具体的にはそれは、今も残る植民地主義の遺産かもしれない。被害者の中に残り続ける暴力の記憶かもしれない。第二次大戦の前に朝鮮半島の人々に与え、そのあとも様々な形で続いた文化的交流かもしれない。日本が朝鮮半島を支配していたのなんてもう昔のことじゃないか、いいかげん忘れようよ。いつまでも加害者を恨んでいるのはおかしい。韓国の人々が日本のポップカルチャーを楽しんできたかどうかなんてあまり関心がないな。

つまり現代日本とは、歴史の忘却と韓国という隣人がどう日本について愛憎を抱いてきたか、ということの否認からできていて、だからこそ、『アンダー、サンダー、テンダー』のような、現代日本がないことにしていることを集めた作品を読むと、まるで自分の盲点を延々見せられているような、思考の限界点の向こう側から話しかけられているような、不快であり同時に快感でもある体験をすることになる。そして読後、同じ自分ではいられなくなる。

『アンダー、サンダー、テンダー』はこんな話だ。舞台は坡州《パジュ》市で、北朝鮮との国境に近いこの町は、ソウルのベッドタウンとして機能できるくらい首都に近いのに、政治的な理由で開発から取り残されてきた。だからいまだ巨大な昆虫がうろつき、蛇のようなミミズがのたくっている。この田舎町の女子高生である語り手が主人公だ。

地元の友達に囲まれた平穏な日々に、急な変化が訪れる。人目を惹く、安藤忠雄風のコンクリート打ちっぱなしの家にジュワンとジュヨンの兄妹がインドから引っ越してくる。インターナショナルスクール育ちの二人は主人公に、いい意味での違和感を与えてくれる。兄のジュワンは引きこもりで、彼の部屋にはホームシアターがあり、アメリカや中国、日本など大量の映画作品が並べられている。彼はそれを一日眺めて暮らしているのだ。そして妹のジュヨンと主人公は友達になる。

ジュヨンとジュワンの家に訪れ、映画や画集を見せてもらっているうちに、主人公は恋に落ちる。けれどもなかなか関係は深まらない。話をしても、一緒に出かけても、あるいは浴槽でセックスをしても、決定的なところでジュワンは主人公を受け入れない。なぜか。インド時代、行方不明になった韓国人旅行者の遺体を見つけてしまったジュワンはショックで精神を病んでいる。学校にも行けないし、自由に交通機関も使えない。こんな自分とかかわっても主人公が不幸になるだけだ。こうして二人はすれ違い続ける。

やがて二人を悲劇が襲う。韓国軍の兵士が脱走し、持っていた銃を雪かきの道具が保管されている箱に隠して逃げる。小学生のスホがその銃を見つけると、野良犬を撃ち殺して遊ぶ。散歩中、そこをたまたま通りがかったジュワンはスホに首と肩の間を銃撃されて死ぬ。彼の死を受け止めきれない主人公は心を病み、彼の面影がある男性を見つけては不毛な恋愛を続ける。けれどももちろん、ジュワンは戻ってこない。やがて高校時代の仲間も居場所を見つけ、韓国国内や外国へと散らばってバラバラになる。

さて、すべての起源に祖父がいる。東京に留学経験があり戦前はずば抜けたエリートだった祖父は、朝鮮戦争のとき一人で三八度線を越えてきた。そしてエリートとは程遠い、ビビン麺屋を営む祖母と結婚した。存在感の薄い祖父は日本語の小さな本を読んでいた。ソウル郊外で育ち、編集者として働いたという著者の経験をもとにしたこの作品中の祖父に、僕は彼女自身の祖父の響きを感じた。

「私たちが石膏人形に生まれたとしても」という題名のエッセイでチョン・セランは祖父についてこう語っている。セラン自身そんなことを思っていないうちから、祖父は孫娘が小説家になると確信していた。そして文学修行として、ヘンリック・イプセンと芥川龍之介を読むことを薦めてくれた。祖父のおかげで、自分は伝統的な価値より現代的な価値を重視する人間として育ったのだ、と。

日本の新劇が多大な影響を受けたイプセンと、英文学を学び様々な古典を下敷きにしたモダンな作品を書き続けるも若くして自死した芥川が、日本統治時代に教育を受け、戦後も日本の文庫本を読み続けていた祖父を通じてチョン・セランの文学の基礎を作り上げる。こうした時代と国境を越えた文学のつながりを考えると、僕はほとんどめまいすら感じてしまう。しかも韓国の人々にとっては、こんな絆など、ごく当たり前のものでしかないのだろう。

作品中で生活力の強い、たくましい祖母に対して、文学愛好家である祖父はひたすら弱い。そしてチョン・セランはどうやら、こうした繊細で弱い男性を選びたいと考えているようだ。何に対抗して、かと言えばもちろん、どんな残酷な場面にも動揺することなく国を守ることができ、必要ならば激しい暴力をふるうことも厭わない軍人を理想とする、マッチョな男性像である。

どうしてこうしたマッチョな男性対繊細な男性という対立が登場するのかと言えば、もちろん韓国がいまだ戦時下にあるからだ。だからこそ、韓国社会は暴力によって国を守る、という男性像を否定することができない。しかしながら、そもそもなぜ韓国が戦時下にあるかと言えば、日本による植民地支配の終わりに朝鮮半島が共産圏と資本主義圏に分断されたからである。言い換えれば、日本の植民地主義は朝鮮半島においてはまだ終わってはいない。この事実は、日本人が抱く、七十年以上昔のことなどもう水に流してほしい、という希望とはまったく関係がない。今そこにある危機を忘れることができる者など誰もいないのは当然である。

弱く存在感のないまま亡くなった作品中の祖父は、ジュワンとして主人公のところへと戻ってくる。まだ十代の主人公にとって、彼はたまらなく魅力的だ。男っぽい荒々しさも筋肉質な力の誇示もない。体は細く足の指が長く、ニットをきれいに身にまとっている。「胸もお腹も出ていないから目の細かいニットがすっと垂れるのが、とても素敵だった」。彼はいつまでも男にはならない。男性と女性に分かれる前の、少年の美しさを保ったまま青年になっている。

祖父が読んでいるのは日本の文庫本だったが、ジュワンが身に着けている教養は音楽であり、映画であり、美術だ。彼の家で初めてポール・マッカートニーの写真集を眺める。ウォン・カーワイの映画を何本も観る。言い換えれば、ジュワンの部屋には韓国以外の世界の文化的富が詰まっている。「ジュワンがゆっくりと身につけた映画や文化に対する知識や価値観の体系を、私はギターをあわてて習うパンクミュージシャンのように、一度に受け入れていた」。愛しているから、主人公は彼が示してくれる文化を慌てて身に着けようとする。そして彼に相応しい人間になろうとするのだ。

それまで主人公が持っていた文化的な資産はどのようなものだったのか。もちろん、家に転がっている日本語の本を読むことはできない。代わりに出てくるのは、小学生のときに使っていたドラえもんの弁当箱だ。こうした細部を見ると、僕はクラクラしてしまう。小学校のときに持っているぐらいだから、ドラえもんグッズは背伸びの対象ではない。けれども当然ながら韓国のものではないわけで、まるで日本におけるスヌーピーぐらい、韓国の生活の中に、ということは人々の無意識にまで日本文化が入り込んでいることを感じる。そしてまた、韓国の人にはこれほどに当たり前のことさえ自分は知らなかった、ということに気づく。

ジュワンの魅力はそれだけではない。少年っぽい部分も主人公の目を引く。たとえばペットボトルの持ち方だ。中指と薬指の間に、ペットボトルの首を無造作に挟んで持つ。「あんなにゆるりとかっこよくペットボトルを持つことができるのか」。こうしたふとした瞬間に、決して押しつけがましくない男っぽさが匂い立つ。あるいはスニーカーだ。主人公が買ってあげた、そこまで高価なわけでもないスニーカーを喜んだ彼は家の中でも履いて回る。「その日の夕方はずっと室内で履いて歩いていた。ソファやベッドの上にスニーカーを履いたまま上がっている姿が、外国人みたいだった」。こうした、小学生っぽさと外国っぽさが絶妙に混じった振る舞いがたまらなく魅力的だ。

だがそんなジュワンをマッチョな韓国社会は放っておいてはくれない。インドに住んでいるとき、韓国からの旅行者が行方不明になる。まだ子供だったジュワンも捜索に加わるように言われる。そうして運悪く、ジュワンは首を切られた被害者の頭部を発見してしまう。こうした激しい暴力の光景に彼は心を病み、学校に行ったり、車に乗ったりできなくなる。なぜ父親はジュワンにこんなことを強いたのか。それは彼を強い男にするためだ。

妹のジュヨンは言う。「お兄ちゃんをわざと恐ろしい事件に向き合わせたの。そういう意味では男も差別されていると思う。鋼鉄のように、叩けば強くなる、男らしい男になると考えてる。でも、鉄の男とセラミックの男は違うんだから。叩けば壊れる男も、いくらでもいるんじゃない？」。そして繊細なジュワンの心は既に、取り返しがつかないほど壊れてしまった。

生きていくことそのものが困難なジュワンを決定的な悲劇が襲う。なにしろ彼はまだ小学生のスホに銃で射殺されるのだから。そもそもどうしてスホは野良犬を殺して遊んでいたのかと言えば、家庭内の大人によって凄まじい暴力に晒されて育ち、心が壊れてしまっていたからだ。そしてなぜ大人が子供に暴力を振るっていたかと言えば、男らしさが強さと同一視される韓国文化において、社会的に成功できない男たちの中には、弱者に暴力を振るって自分の力を確認しようとする人々が出てきてしまうからだ。

さらに、なぜスホが銃を入手できたかと言えば、そもそも南北の分断という戦争状態があり、しかも韓国軍の中で兵士への暴力が横行し、それに耐えられず脱走する者もいる、ということだろう。作品中、行き場を失った脱走兵は結局、首を吊って自殺する。そして南北分断の歴史的根源には、日本による植民地支配がある。そしてまた、それに続く朝鮮戦争の、全土を焼け野原にし、多くの家族の絆を引き裂いた悲劇がある。

すなわち、繊細過ぎるジュワンは部屋に閉じこもり、自分の気に入った芸術作品だけに囲まれてなんとか安心できる空間を作ろうとしていた。だがいったん外に出れば、様々な形の暴力が彼に迫ってこざるを得ない。彼の死後、ジュヨンはこう語る。「お兄ちゃんは、このすべてのことを、結局は耐えられなかったと思う。別の言い方をすれば、このすべてのことがお兄ちゃんを耐えられなかったというか……。どのみち死んだと思う。持ちこたえるのがつらいほど鋭敏で、ぼろぼろになっていた。お兄ちゃんは、既にそうなってたのよ」。どうして男性で、なおかつ繊細であることは韓国では罪なのか。どうして生き続けることができないのか。ジュヨンのこの言葉は、兄を失った悲しみを乗り越えるための自分への言い訳、というだけではない。ここには、過剰なマッチョ主義は人を殺す、という鋭い洞察がある。

主人公は美術担当として映画業界に進むが、恋愛も仕事もなかなかうまくはいかない。

少しでもジュワンの面影がある人と付き合っては別れる、ということを繰り返し、どんどん傷ついていく。ようやく落ち着いた関係にたどり着いたのは、ジュワンとは共通点がまったくない、極端に鈍感な男性だった。彼といても自分の感情を揺り動かされることはない。そしてまた、通じ合っているという感覚もない。心の深いところで感覚的に通じ合える相手を強く求めているのに、結局のところ主人公は愛する人と気持ちをわかち合うことを完全に諦めてしまう。確かに楽かもしれない。けれどもそれは同時に心の死でしかない。

まとめよう。『アンダー、サンダー、テンダー』でチョン・セランは、韓国社会に巣くうマッチョ主義によってどんなふうに男性も女性も損なわれるのかを粘り強く思考している。では人々は負けていくだけなのか。実はほんの小さな、でも本人たちにとっては大きな勝利も作品には書き込まれている。たとえば、登場人物の一人からスホの姉にこんな言葉が贈られる。「家族だからといって、必ずしも愛する必要はないさ。まったく愛さなくていい」。ならば暴力に満ちた家族から逃げ出して、僕たちは他人と新たな共同体を作ったっていいことになる。

そして確かに、主人公も高校時代の友人たちも故郷を出る。あるいは外国にまで渡る。確かに見知らぬ土地にいることは寂しい。いざ何かがあれば、周囲の人々に守ってもらえないかもしれない、という恐怖を常に感じる。けれどもその寂しさと一緒に、自分らしく生きられる自由を手に入れられる。自分を形作る友人も歴史も文化も全部捨てなくちゃいけないかもしれない。それでも自分自身であることは貴重だ。こうした設定には、韓国社会に対する絶望と、その絶望をただ受け入れるわけにはいかない、という強い個人の意思を感じ取れる。彼女、そして彼らの姿には、日本でこの作品を読んでいる僕さえ勇気づけられる。

他にも、本書ではふとした瞬間に現れるキラキラした描写が光っている。僕が好きなのはこうした表現だ。女子高生たちはピアスの穴がふさがらないように気を付ける。「女の子たちは主に透明なアクリルの拡張器を入れたのだが、ふと振り返ればその穴から空が見えた」。耳の穴が小さいほど、坡州の空が大きく感じられる。あるいはこんな一節はどうだろう。人間について主人公は語る。「大切なものは絶えず失われ、愛した人たちが次々と死んでいなくなってしまうのに、それを耐えられるようには設計されてない」。人間は、そして人間の心身は思うより脆い。その脆さから目を背けることで僕らはかろうじて日常生活を送っている。けれども遅かれ早かれ、そのことを直視せざるを得ないときがくる。

人間が人間らしく生きることがなぜこんなに難しいのか。マッチョ主義によって死に追い込まれる繊細な男性を描くことで、チョン・セランはフェミニズムを、人間解放への探求として大きく深めている。しかも彼女のスタイリッシュで、それなのにときに感傷的な文章は読者の心の柔らかいところに直接寄り添ってくる。まだ若い作家である彼女が、それまでの生涯に感じた様々な気づきをこれでもかと詰め込んだ本書は、日本の読者をも強く揺さぶるだろう。

続いて読んだ『フィフティ・ピープル』もかなり優れた作品だった。形式は少し実験的で、救急病院を巡る五十人(本当は五十一人)の人々がそれぞれ短篇の主人公になり、同じ時間を共有しつつ様々な事件を多くの角度から切り抜けていく、という構成になっている。なぜこんな形式をチョン・セランは選んだのか。答えはあとがきに書いてある。通常の小説には主人公がいる。そして主人公の意識のみが特権化され、他の登場人物は弱い存在でしかない。しかしそういった人々もやっぱりものを感じ考えているのではないか。ならば全員に寄り添った作品を書いてみよう。

という究極の平等主義に基づいた構成になっているのだが、もちろん、それを正確に反映してしまうと、極端に難解な作品になる。だが実験、というだけでは価値を認められない現代において、フランスのヌーヴォー・ロマンみたいな小説を作家が書くわけがない。実際に読んでみればわかるが、この作品には二つの軸がある。別れた相手に首を切られ、病院に運ばれてきたときにはこと切れていた若い女性の話。それから、弟の極端な家庭内暴力と、それを黙認する両親に耐えかね、なんとか実家から逃げ出す女性の話だ。

すなわち、『アンダー、サンダー、テンダー』で男性の立場から考察された韓国のマッチョ主義は、本作では女性側から見られている。しかも少しだけコメディタッチで描かれているのだ。そのことはチョン・セランの考察の浅さを現さない。むしろ軽くでも書かなければ読者が最後まで読み進められないほど状況が深刻であることを示している。

いきなり押しかけてきた男が、台所のカビだらけの包丁立てにあったパン切りナイフを手に取り、娘のスンヒの喉を切り裂く。引っ越してきたときにはそこにあって、片付けるのを先延ばしにしてきたナイフだ。あまりの事態に状況が呑み込めず、母親のヤンソンはこう言う。「あのナイフ。捨てておけばよかった。さっさと捨てなきゃいけなかったんだ」。重要なのはもちろんそこではない。たとえナイフをきちんと処分していても、男は他の凶器で娘に襲い掛かったことだろう。しかしあまりの事態にちゃんと考えられなくなった母は、少しだけピンボケの感想を口にしてしまう。だがその一言は誰にも聞いてもらえない。

あるいは、弟の暴力に晒され続けたハニョンだ。父親は多額の賄賂をベランダのゴルフバッグに隠している公務員で、母親はそれを咎め立てもしない。小さいころから弟の暴力を両親は叱らず、だからハニョンは弟に毎日激しく暴行を受け続ける。「弟に髪の毛を一つかみ、誇張ではなくほんとに一つかみ髪の毛を抜かれて両親の方を振り向いたとき、二人ともただ面倒くさそうな表情をしていた。髪の毛だけですんだのがラッキーで、頭皮がはがれなかったのが不思議なくらいだったのに。この家は正常じゃない。母さんも父さんも正常じゃない。私はここから逃げなくてはならない」。

ようやく逃げ出したハニョンは友人と同居する。そして弟は人格障害の診断を受け、暴れては保安要員の男性たちに制圧され続ける。父親は贈賄がバレてようやく逮捕される。

つまり、一家はバラバラになってしまうが、ハニョンには助けてくれる女性たちのつながりがある。同居しているジジはハニョンについてこう思う。「野蛮から文明へと脱出してきた人だけが持っている、基本的人権への強烈な指向性みたいなもの」が彼女にある、と。そしてこうした指向を、苦しむ韓国の男女すべてが共有しているのだろう。

これら二作の他にも、長篇『保健室のアン・ウニョン先生』や短篇集『屋上で会いましょう』など、チャーミングでときに鋭い批判を湛えた作品がチョン・セランには複数ある。これらの作品に共通するのは、しっかりとした人間観察に基づいて自分の頭で考え、それを強い言葉に圧縮して読者の心にきちんと届かせる、という彼女の作家としての力だろう。暮らしの中で練り上げられた思想の強さ、とでも言おうか。僕は彼女の作品に生きる力を与えられた。韓国に興味がある人にもそうでない人にも、日本のすべての読者にチョン・セラン作品を薦めたい。

初出：『すばる』2020年12月号（集英社）
※初出時タイトルは「ニットとペットボトル――チョン・セランの作品について」

検索の外へ――柴崎友香『公園へ行かないか？　火曜日に』

トモカはｉＰｈｏｎｅを手放せない。本書に収録された十一本の作品を通じて、彼女は検索してばかりいる。気になるものがあれば調べ、場所がわからなければ地図を見て、辞書アプリで知らない単語を引き、空いた時間はＳＮＳを見ている。それは日本ではすごく当り前の行動で、彼女自身、無意識にそうしている。それが良いとか悪いとかいう判断はない。ただ自分の体の一部のように、手のひらのｉＰｈｏｎｅをいじっているだけだ。

そこには、大抵のことは誰かが既に経験し、ウェブ上で綴っているはずだ、という思いがある。こうした生き方は日本ではとても合理的なものだった。けれどもアメリカ合衆国に行き、作家やジャーナリストが集まるアイオワ大学のワークショップに参加したとたんに行き詰まる。そうした情況が三ヶ月間続くことで、彼女の何かが確実に変わる。

たとえば表題作「公園へ行かないか？　火曜日に」だ。トモカは仲間たちとパークに行かないか、と誘われる。「パーク」を英和辞典で引けば、もちろん「公園」という訳語が載っているだろう。いいね。こうして彼女は仲間たちとパークに向かう。けれども、行けども行けども公園に着かない。ようやくここがパークだと言われるが、トモカの感覚ではそれは公園ではない。なにしろ広すぎる。強いて言えば荒野だ。遊具も売店もない。自動販売機すらない。しかもあまりにも人がいない。

たまに行き会う人々を見て彼女は思う。「なぜこんなところを一人で、犬は連れているとしても一人で、歩いているのか、わたしには理解できない。怖くないのだろうか。突然倒れて、あるいは何者かに襲われて、誰にも見つけてもらえずに死ぬかもしれないと不安にならないのだろうか」。周囲にたくさんコンビニがある場所にしか住んだことのないトモカにとって、自然とは死と隣り合わせの危険な場所だ。

恐怖に囚われた彼女はiPhoneでグーグルマップを検索しまくる。こっちに行けばパークから出てピザ屋に出られる。あの向こうに行けばスーパーマーケットがある。だが、彼女の提案は仲間たちによってことごとく却下される。せっかくパークに来たのに、自然を楽しまずにすぐに出てどうする。トモカがどんなに検索結果を示しても、誰一人興味を持たない。

ならば一人で帰るのか。それもできない。いくら疲れているとは言え、自分だけでパークから出て、宿舎まで戻る自信なんてない。だから楽しんでいる仲間たちの真ん中で、死の恐怖に苛まれながらついていくしかない。「それに、もうこれ以上、広い場所にいたくなかった。広くて、空が青くて、空気がきれいで、人がいない場所には。鳥の声と風の音しか聞こえない場所には」。アメリカの広さが理解できない。仲間たちの行動様式や価値観が理解できない。いくら検索しても出てこないし、たとえ出てきても、目の前の人々や情況に適用できるかどうかわからない。

いや、検索できるならまだましだろう。「とうもろこし畑の七面鳥」では仲間たちと畑の続く広大な平原を延々と車で走っていくのだが、都市から離れると電波そのものがよく入らなくなる。マップもなかなか表示されず、無理に見ようとしてもいたずらに電池が消費されるだけだ。ついに彼女は検索を諦めてしまう。そして今自分がどこにいるのか、まったくわからなくなる。どうしてトモカはアイオワ州の紙の地図を買わないのか。おそらく、電波が入らず、検索もできない場所は自分とは無縁な場所だと思っていたからだろう。そして彼女は今、そのまっただ中にいる。

こうした感覚は、僕にもよくわかる。かつてロサンゼルスからラスヴェガスに行こうとしてグレイハウンドのバスに乗ったとき、まるで月面のようで、生命のかけらも感じない赤茶けた台地が延々と続くのを見ていると、アメリカ人はどうしてこんなところに住むんだろう、と心底、疑問に思った。ポツンポツンと見える民家の脇には、セスナの小型機が停まっている。あれに乗って買い物に行くんだろうか。そこから先は想像もできない。殺されても永遠に発見されないかもしれない場所に、独立や自由を求めて住み着く強固な自己のあり方こそ、アメリカなのではないか、とそのとき僕は思った。もしそうならば、僕の弱い自己など、彼らにとっては自己ではない。

話を戻そう。トモカが検索するのはウェブだけではない。中上健次『アメリカ・アメリカ』や水村美苗『日本語が滅びるとき』といった、過去にこのワークショップに参加した人々の記録を読む。中島京子さんなどの参加者に直接話を聞く。そして例年、英語ができない人は一人や二人はいるし、それでもみんな滞在期間を楽しんでいる、と知る。そして『ガールズ』という、このワークショップが登場するドラマも見る。けれども、こうした下調べも役には立たない。

そもそも、参加者の中でいちばん英語ができない、と気づいたのがアイオワに来てからだった。英語を第一言語や公用語として学んだ人の言っている言葉が聞き取れない。かろうじて聞き取れるのは韓国や中国、台湾からの参加者の英語で、それでも通じないときは、漢字で筆談をする。そしてトモカは、東アジア文化圏という場所の存在を体感する。日本にいたときは、日本とアジアを区別して考えていたのに。

それでは話すことはどうかといえば、これも困難だ。「毎朝、今日は誰に声をかけようか、なにを話そうか、と頭の中でいくつか英文を反芻しながら向かうのだが、当然思ったとおりにはならなかった」。前もって考えておいた英作文も、口にしたとたん、想定外のリアクションに晒される。準備した文章は使えなくなる。新たな表現が要求される。けれども語彙も文法力も足りない。「サンキューにソーとかマッチとかリアリーをつけるくらいしか、語彙がなかった」。もちろん読むことも苦痛だ。参加者同士はＷｈａｔｓＡｐｐというメッセンジャーアプリでコミュニケーションをしているのだが、大量のメッセージが投稿されすぎて、とても読み切れない。ｉＰｈｏｎｅやｉＰａｄにダウンロードした英和辞書を引きまくって、他の参加者の詩や短篇を読もうとするが、すぐに疲れてしまう。

ここまで来ると、まるで自分のことを書かれているようだ、と僕は思う。アメリカに留学していたころ、特に最初はスーパーマーケットのおばちゃんが話しかけてくる言葉すら理解できずに大いに落ちこんだ。大学の授業でも、自分の周囲で何が起こっているかさえわからず、毎日混乱した。仕方が無いので、定期的に日本食屋に通い、マズめのラーメンをすすりながら悔しくて泣いた。けれども、トモカのいる場所にはそんなラーメン屋もない。彼女の鋭い観察眼は、人は外国に行くとどうなるのかを細かくえぐり続ける。

検索の限界に突き当たったトモカは、周囲の人々の声に耳を澄ませる。すると彼女の身体が徐々に変化し始める。少しずつだが、英語が聞こえるようになる。そして様々なことに気づく。日本ではグーグルマップと言うけど、英語ではいちいちグーグルマップスと複数型にするのか。そういえばコングラッチュレイションズ!(おめでとう)も複数形だ。しかも、必ず主語と目的語を明示するんだ。「英語は主語も目的語もはっきりしているというか、文章として必要としていて、その律儀さがおもしろかった」。

そんなの当り前だ、とあなたは思うかもしれない。けれども知っていることと使えることは違う。知識で知っているのは頭での理解で、日本で英語を学んでも可能だ。でも買い物に行ったとき、スリー・ダラーではなくとっさにスリー・ダラーズ、と複数形にできるだろうか。こうできたとき、初めて英文法が体に入ったと言える。トモカの体に、だんだんと英語が染みてくる。

　少しでも英語がわかるようになれば、別の種類のわからなさに気づき始める。映画を見る授業に急にトモカが参加しても、学生も教師も誰も気にしない。どうして知らない人がいるのに反応しないのか。あるいは、誰に頼まれた感じもないのに、セレモニーで香港から来たヴァージニアがスピーチを始める。いつ誰が決めたのか。パネルディスカッションに参加しても、他の参加者が次々と発言する中、自分の番がいつ来るかがわからない。そしてそのままパネルディスカッションそのものが終わってしまう。

　日本では普通、発言の順番は事前に決まっているのではないか。もし決まっていないとしたら、互いに遠慮しつつ、譲り合って進行するはずだ。だがどうやら、しゃべりたい人がしゃべりたい順番にしゃべっていただけだということにトモカはあとから気づく。なんとここには、遠慮という概念が存在しないのである。「英語がわからなかったせいだけではなく、行動のあり方が違いすぎて、情況が理解できなかったのだ。そして発表の場で遠慮するなんて想像もしない作家たちは、わたしの質問の意味がわからなかった。わかってみれば、動揺した自分のことを笑いたくなった」。こうしたとき、自分の価値観にしがみついて、外国人は失礼だと怒る人もいるだろう。けれどもトモカは笑う。このとき、彼女は自分の無意識に深く埋め込まれた日本文化から、少しずつズレ始めている。

　日本にいるとき、大人になればたいていのことはわかる。わからないときはｉＰｈｏｎ

eで検索すればいい。あるいは、わかるように説明できない方が悪い、と相手を責めてもいい。けれども、アメリカではほとんどのことがわからない。日本で英語を勉強しても、映画やドラマを見て、せっせとアメリカの小説を読んでも、実際にアメリカに行ってしまえば、自分はなんて何もわかっていなかったんだと思うだけだ。そんな環境で、トモカは水の中をさまよっているような感覚にとらわれる。「しかし、周りの人がなにを話しているのか、どんな関係性なのか、今日のイベントは誰がなにをするのか、いつも水の中で手探りするようにしかわからなかった」。

これは、大人にとっては恐怖を伴う状態だ。だがこういうとき、人は最も活性化している。何もわからないまま、周囲に秩序を求め、推定し、実験してその秩序が正しいかどうかを探る。生物はそうやって地球で生き延びてきた。赤ん坊もそうだ。親のわからない問いかけに答えながら、だんだんと秩序を発見していく。このとき、トモカは大人でありながら赤ん坊と同じ状態にある。周囲をじっと観察し、耳を澄まして、そこにある意味を探る。そのための感覚を開く。脳内にそれを理解するための回路を作る。日本社会とiPhoneに守られてまどろんでいた彼女の心身は再び成長しようとしてもがいている。

そして彼女の中で、大きな変化が起こる。仲間の英語が、そのまま大阪弁に聞こえてくるのだ。それまでも、大阪出身であるトモカの心の声は大阪弁で表記されることが何度もあった。しかし、他の参加者と一緒に暮らし、心の距離が近づいてくるにつれ、彼らの発言が日本語の標準語ではなく、大阪弁に変換されるようになってくる。特にガリートだ。彼女の言動について「大阪のわたしの友人と似ていて、ガリートの話す言葉は、わたしの頭の中ではだいたい大阪弁に変換されていた」とトモカは語る。

このとき何が起こっているのか。トモカにとって共通語とは、ただ話すことはできるものの、自分の中にある感情や感覚を伝えるには不向きな言葉だった。言葉の論理の方に引っ張られてしまい、どんどん自分が言いたいことから逸れてしまう。ちょうどヴァージニアにとって、英語がそうであるように。だからヴァージニアは英語では書かず中国語で創作をする。

しかし、ガリートと英語で話していて、彼女の感情がそのまま、トモカの中に入ってくることがある。英語で表現されたその感情はそのまま大阪弁に変換され、トモカの記憶に残る。「奇妙なことに、大阪弁を共通語に置き換えた言葉よりも、英語で近い意味の言葉のほうに、近さを感じることもあった。余計な先入観がないから、その使われた場面が自分にとって体感というか実感を伴うものであれば、それは「エモーショナル」になるのかもしれなかった」。

こうして、トモカは大阪弁と標準語、という揺るぎない二項対立の外に出る。そして大阪弁以外でも感情を乗せることができる言葉の存在を知るのだ。それは同時に、日本人や大阪人以外もきちんと人間であり、魂の貴重な部分を交換できる相手であることをトモカが実感した瞬間でもある。だからこそ、この作品におけるトモカの模索は感動的だ。
リスの震える尻尾の中に別の空間の存在を感じ、飛ばない鳥と信じていた七面鳥が四メートルも飛び上がる場面を目撃しながら、気づけばトモカは、そして読者は、日本の常識やｉＰｈｏｎｅを使った検索から遠く離れた場所にいる。

初出：『新潮』２０１８年９月号（新潮社）

弱さこそ恵みとなる詩の原理——ジェラール・マセ『つれづれ草』『帝国の地図』

声には力がある。第一次大戦で聴力を失った祖父の従軍記を、青年になった著者は書き付けようとする。だが途中で止めてしまう。なぜか。「声の抑揚、言葉の句切りかた、口調、それらが誠実さを示すアクセント」が失われてしまうからだ。

言葉における意味以外のものを聞き取る力。ブラックアフリカの人々は、そうした力に長けている。夢の中に現れる象徴を読み解き、冥界から吹き付ける霊気を感じとる。そしてもう一つの場所が日本だ。絵画や書道といった芸術は生活と結びついて、すべてを繊細なものとしている。

あるいは動物たちはどうだろう。かつてラ・フォンテーヌは、動物たちには謎めいた知性があると説いた。確かに、僕らをじっと見つめる猫の瞳の向こうには底知れぬ闇がある。そして小さな蟻は「牛よりも活動的なだけでなく、牛よりもずっと創意に富んでいる」。

現代文明は論理や効率を重視する。だからこそ著者は逆に、自由な連想や横滑りを称揚する。そもそも僕らの思考や会話は、そんなふうに進んでいくのではないか。無数の断片によって書かれた本書の軽みを味わいながら、読者の心はマセの思考と気持ちよく絡み合う。

なにしろ近代の権化たるデカルトすら、マセによればこうなる。午前中は寝床から出ずに瞑想に耽る。昼間はだらだら過ごして、研究は何ヶ月も進まない。かつて『方法序説』を読んだとき、僕が最も好きだったのもこのくだりだった。

マセが説いているのは、詩の原理の重要性だろう。そこでは弱さこそが恵みである。なにしろ人付き合いが下手で、何年も部屋から出てこなかったプルーストは、自分の恐怖心を才能に変えて『失われた時を求めて』を書き上げたのだから。

本書では、偉人も文豪も蟻も同じ価値を持つ。そしてマセの優しい視線の中で、魅力的な存在として浮かび上がってくる。だから本書を読んだあと、世界が少しだけ違って見える。

初出：『朝日新聞』2020年3月7日

小さな喜びがもたらす豊かさ——メイ・サートン『74歳の日記』

病を得て気づくことがある。心臓病に苦しむ著者は、自宅の階段を登る途中で息が切れてしまう。だがふと目を向けたポーチで光が変化する様子を、一時間も見ていられる。あるいは長椅子に寝転がりながら、青いガラスの花瓶に活けたシャクナゲの白い花が、午後の光に浮かぶのを眺める。「部屋全体に花の存在感が満ちあふれ、私はただそこに横になって目を奪われていた」。

海辺に近い、ニューイングランドの一軒家に一人で棲む彼女は、なかなか遠くまでいけない。だがその日常は冒険と気づきに満ちている。時間をかけてシーツの皺を伸ばす。そうやって、ものを整えることを楽しむ。今までただこなしていたことが歓びとなる。

彼女は孤独だ。でも寂しくはない。聞こえてくる波の音。鳥たちの声。庭に植えた多くの花々。その中を、新しくやってきた子猫のピエロが駆け回る。そして何より有り難いのは多くの友人たちだ。

わざわざ遠くから、土産物を携えてやって来てくれる人々。健康だったころより、彼らの心が直接、深く入ってくる。「日々くり返される小さな喜びや失望を分かち合うことで、互いにうちとけた気持ちになれる」。彼らの繊細さこそが、なによりのご馳走だ。

もちろん、心を開くことは、傷つきやすくなることでもある。返事を期待する多くの手紙に応えられず苦しみ、美容院で無視されて涙を流す。嫉妬にかられて攻撃してきた人物の記憶に揺さぶられる。

著者は自分の弱さを余すことなく書く。そのとき、読者もまた彼女とともに苦しんでいる。だからこそ、窓から差す光のような突然の美しさもともに味わえる。

朝、ベッドで横になったまま、彼女は詩が降りてくるのを待つ。そのとき彼女は心の奥底に深く潜り込んでいる。自分自身と出会うこと。日々の微細な変化をたどりながら、著者はまるでエミリー・ディキンソンのように、富とは関係のない豊かさがあることを教えてくれる。

初出：『朝日新聞』２０１９年12月７日

語学で鍛えた想像力が「教養」に——黒田龍之助『物語を忘れた外国語』

外国語ができるようになりたい。誰しもそう思う。だがその道筋はおぼつかない。いわく、生きた会話が大事だよ。いや、語彙と文法を知らなければ話にならないさ。

こうした善意の助言を前に僕らは立ちすくんでしまう。それは、自分にとって何が楽しいのか、という視点が抜け落ちているからだ。楽しくなければ身にもつくまい。そこで黒田は言う。文学でも絵本でも映画でもいい。お話を楽しんでみたらどうだろう。

だが近年、語学教育における文学の講読は人気がない。シェイクスピアなんて読んで何の役に立つの。そこで黒田は反論する。すぐ役に立つことはすぐ古びるよ。むしろ一見役に立たないことのほうが大事じゃないかな。

どういうことか。たとえば、同時代の日本語で書かれた文章がよくわかるのは、自分が既に知っていることが書いてあるからだ。でもそれでは、考え方の違う他人とじっくり付き合い、互いの理解を深める心は育たない。

ここで語学の出番だ。自分が生まれる前のこと、自分が住んでいない地域のことを想像できて、初めて人は寛容になれる。黒田はこうした想像力を「教養」と呼ぶ。そして、想像力を鍛えるのに語学はうってつけだ。わからなさに耐えながら、異なる相手を観察し続ける。そうしているうちに何かがジワジワ伝わってくる。

だから黒田は早わかりを嫌う。うまい翻訳より、外国語特有の癖のある訳文を選ぶ。『細雪』に出てくる、ロシア語の影響を受けた日本語を楽しむ。わざと不自由なチェコ語を使って旅をする。ノイズを排除してはいけない。なぜなら、そこにこそ他なる世界への手がかりがあるからだ。

では何を選べば良いのか。「自分にしっくりくる」ものを選ぼうよ。このシンプルな答えに僕は納得した。もちろん、自分を大事にできなきゃ、人も大事にはできはしない。黒田の語学論はそのまま、深い文明論でもある。

初出：『朝日新聞』２０１８年6月23日

新しい言葉でつながる越境の旅――多和田葉子『地球にちりばめられて』

突然日本が無くなってしまう。そして北欧に留学中のHirukoは戻る場所を失う。だが、日本語を話す相手がいなくても彼女は悲しまない。愛し、共に旅してくれる友人たちがいるからだ。

彼女は自分で作った言葉、パンスカで話す。「汎スカンジナビア」の略であるこれは、デンマーク語、スウェーデン語、ノルウェー語が絶妙に混ざった言語だ。どの話者も理解できるが、どの話者にも違和感がある。

なぜ彼女は英語でしゃべらないのか。健康保険が整わないアメリカに送られたくないからだ。しかも英語はビジネスや軍事の言葉で、意味は伝わっても気持ちは伝わりづらい。相手の気持ちを想像する前に、もうわかった気になってしまうからだ。

その点パンスカは素晴らしい。母国がない言葉だから、ネイティヴ・スピーカーになんて従わなくていい。周囲の人々の声を耳で聞くうちに自然と生まれた言葉だから、誤解が次々と生まれる。そこから思わぬ詩的な連想が働く。

たとえばこうだ。ハマチとハウマッチは同じ意味かな。タコはタコスの単数形で、マッチャはマッチョの女性形なの。これらはただの間違いではない。こうやって手持ちの知識を駆使して新しい言葉を摑み取ろうとするとき、人は子供時代に帰っているのだ。

彼女は日本語話者を求めて言語学者のクヌートと旅をする。だがドイツで出会ったのは、たどたどしい日本語を話すイヌイットの鮨職人、ナヌークだった。そしてフランスで見つけた日本人のSusanooは失語症だ。

口をぱくぱくするだけの彼を見て彼女は思う。「聞こえなくても理解できるから不思議ね」。そして何より大事なのは、相手と共に時間を過ごして、温かい気持ちを交わすことだと気づく。

本書を読んでいると嬉しくなる。鮨やアニメは他の文化と交配し、変化しながら人々の人生を豊かにする。だから本物と偽物の区別なんて要らないよ。こうして新たな肯定の文学が生まれた。

初出：『朝日新聞』2018年6月30日

猫の教え受け、物語の向こうへ――保坂和志『ハレルヤ』

言葉を持ったことで僕らは何を失ったのか。たとえば、一週間という表現で捉えた瞬間、時間は塊になってしまう。でも本当はその一瞬一瞬が異なる感覚で満ちているのに、僕らはそれをはっきりとは思い出せない。

けれども猫は違う。語り手が墓地で出会った花ちゃんは、片目が見えないのに体を揺らし、体毛で探りながら世界を立体的に見る。経験を無数の感覚として憶えているから、両目が見えなくなっても家の中を動き回れる。

両目は立体視のためにある、というのは物語の一つだ。そういう、言葉でできた物語をため込んだ僕らは世界をわかったつもりでいる。だがそれじゃあ、どうして花ちゃんはこんなに自由に生きられるんだ。

このとき、猫の教えから目を逸らす生き方もある。しかし語り手はそれを選ばない。むしろ物語を突き破って、その向こうに行こうとする。まるで、祈りの言葉「ポロポロ」に意味を持たせることを拒絶し続けた田中小実昌のように。そしてこの運動こそが小説なのだ。

やがて花ちゃんは病に倒れる。それでも花ちゃんは病院脇の草原で楽園にいるように遊ぶ。こんなにも死に近づいているのに。このとき花ちゃんは「死は悲しみだけの出来事ではないということ」を語り手に教えてくれている。

そして語り手は気づく。この花ちゃんの中には、以前飼っていた猫、チャーちゃんも存在するのではないか。むしろチャーちゃんは花ちゃんという形をとって、自分たち夫婦のもとに戻ってきてくれたのではないか。

もちろん二匹は別の猫だ。だが同時に、今そこにチャーちゃんがいる、という自らの感覚を信じる限り、チャーちゃんは死んではいない。そのとき過去は現在と重なり、死は生と一つになっている。

同時に多方向に広がるような文章で、保坂は偶然の意義や想いの力について語る。そうした彼の言葉の魅力そのものが、現代における文学の存在意義を示している。

初出：『朝日新聞』２０１８年10月６日

「生き延びること」について

次の世代に何を残せるのか――ヘミングウェイ『老人と海』

アメリカ文学といえばヘミングウェイ、そしてヘミングウェイといえば『老人と海』である。とはいえこれがどういう話なのか、ちゃんと知ってる人は少ないのではないか。どうせ老人が海に行って魚を釣る話でしょう、と言う方。それはその通りである。しかしそれから先がちょっと違う。

アメリカ文学の代表作でありながら舞台はキューバで、なおかつ英語をしゃべる人がほとんど出てこない、という設定からして、本作はちょっと変わっている。一九五八年の革命前のキューバといえば、アメリカの属国のような扱いだった。アメ車が道路を闊歩し、大リーガーが我が物顔でキャンプにやってくる。そうした場所に住む貧しい無名の漁師が、実はアメリカ人たちを超える高貴な精神性を持ち合わせていた、というのが本書のメッセージだ。

彼らの心の底にはカトリックある。それもただのキリスト教ではない。自然を愛し、動植物を敬い、魚たちや星々を兄弟だ、と思うような信仰の形だ。「人間って奴は、所詮、したたかな鳥や獣の敵ではない」。日本で言えば、ちょうど宮沢賢治の童話のような自然観である。

だからこそ、老人はエンジンがついた大きい船には乗らない。どれだけ長く不漁の日々が続いても、小さな小舟で何度も海へ漕ぎ出す。ついに巨大なカジキが針にかかれば、自分の体ひとつで何日も戦い続ける。それも決して相手を組み伏せ、略奪し、金に変えようという戦いではない。

むしろそれは老人にとって、人間よりはるかに美しく偉大な存在であるカジキとたった一本の糸でつながり、深く愛し合うという行為なのである。だからこそ老人にとって、究極的にはどちらがどちらを殺しても大した違いはない。そしてついにカジキを仕留めたとき、彼は魚を宝物と呼ぶ。「手でさわって、やつを感じたい。やつはおれの宝物さ、と老人は思った」。

だからこそ、港への帰り道に膨大な数のサメに襲われ、次々とカジキの肉を食われても、ついに骨ばかりになってしまうまで彼は死闘をやめない。オールやナイフを奪われてさえ、様々なやり方でサメを攻撃し続ける。なぜならカジキはただの獲物ではなく、彼の最愛の仲間なのだから。ようやく老人が港へ連れ帰ったカジキの巨大な白骨を見て、漁村の人々は彼がいかに偉大な戦いをやり抜いたかを無言のうちに見て取る。そしてまた、彼を慕う少年の内に老人の気概はしっかりと根を下ろす。

すべての人はやがて年老い死んでいく。そのとき次の世代に何を残せるのか。そうした問いに一つのはっきりとした答えを与えているからこそ、『老人と海』は時代を越えて読み続けられる力を持つのだ。

初出：『日本経済新聞』２０２１年12月19日
※初出は「名作コンシェルジュ」コーナーにて

犬になること──山下澄人『月の客』

たとえば、犬だ。フランツ・カフカの『審判』でKは、突然家に現れた二人組の男に、何かの罪で自分が訴追されていると告げられる。だが自分が何かを犯した記憶はない。他人の家の天井裏にある裁判所に行っても、やっぱり事情はわからない。だがじわじわと追い詰められていき、やがて「犬のようだ」と叫びながら、男たちに首を切られて死ぬ。

しかし本作では犬であるのは悪いことではない。盲目の男はトシに言う。「目玉があるのも不便やの！／男には風も見えたし、音も見えた、息を吹きかけたのが誰なのかわかった、／いぬと一緒や／においが見える」。目が見えれば目に頼る。だから暗闇では何も見えない。だが犬は、匂いで世界の地図を描いて正確に動く。だからジャック・ロンドンが『野生の呼び声』で描いたように、北極圏でも少しの食料や炎を嗅ぎつけて生き続けられる。

そもそもなぜ犬のようにあることは、悲惨と同等視されてきたのか。文明の中にいれば、自分が身体を持つ生き物であることを忘れられるからだ。ただ人間の顔を見ながら、人間の作った掟や常識の中で漂っていればいい。そして安全・安心という幻想の中、多くの金を稼いだり、多くの関心を集めたりするゲームに興じればいい。

だが、緊急事態にはそんな思い込みは破れる。そして我々の、生きる意思を持つ身体がゴロリと顔を出す。疫病でもいい、大災害でもいい、戦争でもいい。誰が悪いとか、誰がどうしてくれないとか言っている間に我々は簡単に死ぬ。だから目の前のことを見据えて、直感を使いながら、とにかく生き延びる可能性の高い選択をし続けるしかない。

本書の主人公であるトシは、生まれた瞬間から緊急事態を生きてきた。口をきけない母親は押し入れにこもり、ひたすら帳面にカタカナだけで文字を書き続ける。父親はトシの出生とともにいなくなった。引き取られた先でも暴力を振るわれ、死なないためには逃げ出すしかない。

そして彼は、神社にある洞穴に住み着く。だが彼は一人ではない。近所に住む、障害を持ったおっちゃんが獣の捕り方を教えてくれる。飯盒をくれて、米の炊き方を教えてくれる。「いぬ」と名付けられた犬たちは、何度死んでも別の姿でトシの前に現れ、彼に温もりをくれる。そして酔った母親に階段から突き落とされ、脚が不自由になったサナもまた、洞穴に姿を現す。やがて彼女はトシと愛し合うだろう。

トシは民家から米を盗み、鳥や蛇を捕らえて食べる。あまりにも長く犬と暮らしていたので、犬のように鳴けるようになり、その特技を買われて見世物小屋で働く。犬になったトシの声を聞いて、何より観客よりも犬たちが喜ぶ。トシは犬を見下さない。だから「犬のよう」になることにためらいがない。その敬意を犬たちも感じる。

おそらく戸籍もないトシは、社会の片隅で、見えない存在として生きてきた。けれどもそんな彼の生き方が、先進的なものとなるときがやってくる。大地震だ。登場人物たちが全員関西弁で話しているからには、これは阪神淡路大震災なのかもしれない。あるいはここはアイヌの言葉で「地の果て」という地名だという記述があり、しかも放射線障害のように腹が膨れて何人も死ぬという設定から見ると、東日本大震災かもしれない。

そのいずれか、あるいは両方にせよ、トシの頭の中にはそうした呼び名は存在しない。ただ体験があるだけだ。そしてその体験は死んだ犬が教えてくれる。「いぬがからだを起こした、暗い中でトシにはそう見えた、／死んでいる場合ではない、といぬは、／すべてが縦に動いた、何度も、それから横に、斜めに／ぎしぎしと洞穴が音を立てていた、／揺れがおさまり、／音が止んだ、／いぬは寝ていた、／冷たく固くなっていた、／撫でて外へ出た、」。

トシは死にかけた母親を連れて避難所である学校に行く。だがなぜかそこには誰もいない。母親を看取り、やがて彼は、地震で妻と娘を亡くしたまっさんの工場で働くことになる。身体を病んだまっさんはトシに言う。「死んだらあかんで、つまらん、／なんでやとかいいなや、なんでもくそもない、生まれたら生きるんや、／生まれたおぼえはないやろが、」。

知らぬ間に生まれ、知らぬ間に死んでいく。他の動物の身体も、魂も、記憶も食べて食べて、大量に蓄積しながら、我々は生き続ける。一体何のために生きるのか。目的などない。ただこの世界が生命に満ちていて、人間も動物も、死者も生者も、それぞれの形で生きていて、それらの生命がつながっているだけだ。

そして死ぬと我々は月に帰っていく。まっさんの遺体を見て、そこにまっさんはいない、今まっさんは月の近くにいる、とトシは感じる。どうして月に帰るのか。かつて焼かれた男の骨を見たトシは知っている。その、赤や黒の斑点もある白く熱いかけらは月に似ている。ということは、我々の身体の中にはいつも月がある。いつも空から見守ってくれている大きな月は我々の故郷であり、やがて戻っていく場所なのだ。

常にすべてを剥ぎ取られたむき出しの生を生きるトシの物語である本作を読んで、僕はJ・M・クッツェーの『マイケルK』を思い出した。知的障害のあるマイケルは内戦下の南アフリカで、死んだ母親の遺骨を彼女の故郷まで運び、穴に住んで身を隠しながら、誰とも関わらずに植物を育てる。そこには、社会の外側から、現代を批判する鋭い目がある。

だがそれと似た設定である本作はもっと優しい。社会から疎外された多くの人々や動物がトシを助けてくれる。そこには生者も死者もいる。一人の男の人生に、遠大な時間と空間が交錯していく。個人を個人として見るのではなく、むしろ生命の流れの一つの結節点として捉える山下澄人の本作に、僕は日本現代文学の一つの先端を感じる。まずは読者はその、決して「。」で終わることのない言葉の流れを堪能してほしい。

初出：『すばる』２０２０年7月号（集英社）

戦争が引き裂く個の悲しみ——ヴィエト・タン・ウェン『シンパサイザー』

主人公には居場所がない。戦時下のベトナムでフランス人の宣教師と現地のメイドの間に生まれた彼は、妾の子と罵られて育つ。唯一彼を助けてくれたのが同級生のマンとボンだ。彼ら三人は義兄弟の契りを結ぶ。この関係が、やがて主人公を引き裂くことになる。

大人になったマンは共産主義者として、南ベトナム政府転覆を工作する。そしてボンは、愛国者としてベトコンと戦う兵士となるのだ。二人の友に同時に忠実でいるにはどうしたらいいか。彼はマンの指示のもと、共産側のスパイとしてボンの戦友を本気で演じる。

この危ういバランスは何度も崩れそうになる。サイゴン陥落の日、共産軍の砲撃で死にかけながらボンとベトナムを脱出した主人公は、ロサンゼルスの亡命者社会に溶け込む。そしてともに脱出した将軍への忠誠心を誓いながら、彼の動向を本国に送る。ならば彼は演技しているだけなのか。そうではない。彼は本気で将軍に同情《シンパサイズ》しているのだ。

将軍だけは、主人公の出自を気にせずに、能力だけを評価してくれた。しかし自分が内心、軽蔑している人間にさえ認められたい、という主人公の焼け付くような欲望を、共産側は受け入れない。ボンと一緒にラオスから侵入した主人公に対して、共産側は過酷な拷問を加える。一体お前の心はどちらにあるのか。しかし主人公はそのどちらも選べない。

著者のウェンは四歳でベトナムを逃れ、アメリカで英文学の教授となった。ベトナム共和国に戻ればアメリカ人と言われ、アメリカでは外国人扱いされ続ける。肝心のベトナム語さえ大して話せないのに。しかも祖国である南ベトナムは消滅し、もはや亡命者たちの心の中にしかない。彼が生涯を通じて感じ続けてきた疎外感が、ベトナムとアメリカの不幸な歴史を巡る巨編として結実した。息をつく暇もないほどの面白さの裏に真の悲しみが流れている本書がピュリッツァー賞を獲ったのも納得である。

「多くの男たちが、自分の名前を覚えてくれた一人の男のために死ぬ」という言葉が切ない。彼らだって、利用されているだけだとわかっているだろうに。本書はすべての戦争の裏にアイデンティティの問題があると看破した、戦争文学の傑作である。

初出：『日本経済新聞』２０１７年9月27日

人生の哀切さ　奥底の生命力
――シルヴィア・プラス『メアリ・ヴェントゥーラと第九王国』

気づけばメアリーは奇妙な汽車に乗っている。乗り心地はいいし、車内で知り合った女性は大きなチョコレートまでくれる。けれどもどこに行き着くかはわからない。ただ目的地が第九王国という名前だと知らされるだけだ。女性との会話から、そこが冷たい、希望のない場所だとわかる。「第九王国に着いたら、もう戻りようはない。そこは否定の王国、凍りついた心の王国なのよ」。逃げるには、車掌たちの目を盗んで非常停止の紐を引くしかない。ようやく勇気を出したメアリーは汽車から降りることに成功する。スーツケースを置き去りにして、なんとか車掌たちの追跡を振り切るのだ。途中で振り返ると、客車のガラス窓の向こう、生気も個性も失った乗客たちの姿が見える。

知らぬ間にシステムに縛られ、ガラスの中に閉じ込められる。そして心の底にある生命力を振り絞って逃げ出す。本書の表題作のテーマは、プラスの自伝的小説『ベル・ジャー』(ガラスの覆い)を思い起こさせる。高校時代、優等生だったエスターは、学校の外で壁にぶつかる。ファッションのセンスも気の利いた会話の能力もない自分は、マスコミというキラキラした世界では生きられない。悩み抜いた彼女は鬱になり生きる意欲まで失う。本当は詩人になりたかった。でも女性に職業選択の自由を与えない五〇年代のアメリカは、彼女の未来を暗く閉ざす。

女性として生きることの困難を哀切に描いたプラスは、いまだ英語圏でカリスマ的な人気を誇っている。それは今なお社会が本質的には変わっていないからだ。だからこそ、プラスの文章は日本に住む我々の心をも打つ。荷物をすべて手放し、風となって走ること。どんな状況でも諦めず、戦い抜くこと。三十歳で若くして亡くなった彼女の言葉は、今でもわれわれを励ます。

もちろんプラスの魅力はそれだけではない。病院を描いた短篇「ブロッサム・ストリートの娘たち」で看護師たちは言う。医者たちの書く字は汚くて読めないし、処方箋や報告書はすべて、カルテ帳の間違った場所に貼られている。こうしたちょっとした表現にも、ユーモアや愛情が表れている。このプラスの短篇集は、小説や詩だけではわからない彼女の多面的な魅力に満ちている。

初出：『日本経済新聞』２０２２年7月16日

遊牧民の知恵と生きる難民たち——アブドゥラマン・アリ・ワベリ『トランジット』

今の世界を知るにはワベリを読めばいい。ヨーロッパやアメリカに貧しい人々が押し寄せる。どんな国境も法律も彼らを止められない。なぜか。彼らは、どうして自分たちには人権も快適な生活もないのかと叫ぶ、普通の人間だからだ。そしてこの正義に反論できる者などいない。

本書の登場人物バシールもその一人だ。アフリカの小国ジブチの内戦で兵士として闘った彼は、フランス行きの飛行機に乗り込む。もちろん難民として、より良い暮らし求めてだ。そのために言葉がわからない愚か者のふりをする。泣いて同情を得ようとする。

彼の姿勢は欺瞞だろうか。いや、権力者の前で生き延びるには、本心を隠して移動を繰り返し、正面衝突を避けるのが正しい。それにそもそも、ジブチを暴力に満ちた国にしたのは、かつてそこを植民地としていたフランスではないか。

バシールの知恵は遊牧民のものである。ベドウィン時代の記憶を持つアワレは言う。「遊牧民の時間がどの暦にも従わず、いかなる記録文書にも煩わされることはなく、フランス第三共和政の山羊ひげたちによって求められた行政書類にも署名していないということだ」。そしてそんな彼らを真に支配できる者などいない。

一九六五年生まれで自らも内戦に参加したワベリは、ジブチで話されている生のフランス語も交えて見事な文章を織り上げる。ときに詩と散文の間のようになる作品は高く評価され、今や彼はフランス語圏を代表する書き手の一人だ。

もちろん、遊牧民にも弱みはある。フランス式の教育を受けた者たちは伝統を見失い、自分たちを見下し、ヨーロッパ人を仰ぎ見るようになる。フランスで教育を受けたハルビもそうだ。だがそれでは、誇りを持って生きられない。

トヨタの小型トラックを改造して作ったソマリアの戦車のように、ヨーロッパと先祖代々の知恵を統合すること。このワベリの試みは、東洋人である我々にも他人事ではない。

初出：『朝日新聞』２０１９年3月30日

人種差別との過酷な闘いを体感
――ジョン・ルイス、アンドリュー・アイディン『MARCH』

何も知らなかった。公民権運動の歩みを力強く物語るこのコミックを読んで僕は思った。確かに、リンカーンの奴隷解放宣言やワシントン大行進でのキング牧師の演説「私には夢がある」は学校で習ったし、本でも読んだ。だがこの本を読んで読者が感じるものはまったく違う。

僕らはいつしか、差別と暴力の渦巻く五〇年代から六〇年代のアメリカ南部の中心にいる。そして黒人たちとともに、ただ人間として生きる権利を求めただけで直面する恐怖や、それでも奮い起こした勇気を体感しながら、暗い時代を旅する。

主人公は若き活動家にして後の下院議員、ジョン・ルイスだ。アラバマの農家に生まれ、聖書の言葉に魅せられた彼は、鶏たちに説教をする心優しい少年だった。だが黒人たちの苦境を知った彼は自らを鍛えていく。

たとえば、黒人は白人の学校には通えず、バスの座席もトイレも別々だった。思いつめた彼は仲間たちと、食堂の白人専用カウンターで座り込みを始める。

彼の思想の基盤となったのは、ガンジーやソロー、イエスに学んだ非暴力的抵抗という思想だ。暴力に対して暴力で返しても情況は変わらない。ただ、倫理的な気高さで立ち向かったときだけ、大きな変化は起こる。

しかしそれは苦難の道でもあった。平和的な抗議に対して、白人たちは度を超した暴力を振う。それだけではない。仲間が次々と非合法的に殺されていく。あまりの脅しと怒りに同士の信念も揺らぐ。

それでもルイスは殴られ続け、投獄され続ける。なぜ止めないのか。ここで折れたら、自分たちを尊敬できなくなるからだ。そして黒人は白人より劣った人間だと認めることになるからだ。やがて彼の運動は大きなうねりとなり、ついには社会全体を変えてしまう。

正義を求めて日々、地道に闘い続けること。「行くべき場所にはたどりつくものなんだ」という彼の言葉に、僕は現代アメリカが生んだ最も優れた思想を見た。

初出：『朝日新聞』２０１８年7月14日

ありのままのこの世界こそ神秘――プラープダー・ユン『新しい目の旅立ち』

聖なるものとは何か。神秘は本当に存在するのか。その問いを胸に、著者はフィリピンのシキホール島へ行く。黒魔術の島とも呼ばれるここでなら、誰かが真実を教えてくれるかもしれない。

タイやアメリカの都市部で育ったユンは、都会風の暮らしにも、逆に自然に帰れと叫ぶ人々にも違和感を感じていた。もちろん、環境を犠牲にしてまで人生を楽しむ気になどなれない。だが地球を守るために、現代文明を破壊し尽くすのも違う。ならば答えはどこにあるのか。

大きな疑問で頭がいっぱいの彼を島で迎えてくれたのは、まったく予想外の人々だった。ベイルートの日本人学校で教師をしていた原田淑人さんは退職後、ここでリゾートを開き、観光客の世話をしながら地元の学校を回り、積極的に寄付をして、まさに島の人々と共に暮らしていた。

そして父親から伝統医の職を継いだマックスは、神職として村の祭りに貢献しながらも、親戚を頼って、いつかアメリカに移住しようとしていた。この美しい島での暮らしは貧しい。だが外国でなら、いつかダンサーになるという夢もかなうかもしれない。

彼らと時間を過ごすうちに、ユンの中で何かが変化する。原田さんがこの島に来たのは、都市を呪い自然の中で孤立するためではない。むしろ人々に、ほんの少しでも多くの選択肢を与えるためだ。そしてマックスにとっては、古代からの神秘よりも、より満足できる生活のほうが大事だ。

この世界のどこかにまだあるはずの真実を探したい。こうしたユンのロマンティックな想いは、彼らの暮らしや笑顔に触れるうちに崩れ去る。そして彼は悟るのだ。今ここにあるものすべて、原田さんも自分も、あるいは都市さえも、かけがえのない神秘ではないか。

かつてスピノザは、ありのままのこの世界こそが神であると語った。その言葉に突き動かされながらユンは、どんな小さなものも慈しむ、新たな目を手に入れた。

初出：『朝日新聞』２０２０年3月21日

「弱い自己」こそ和解や解決へ導く――モリス・バーマン『デカルトからベイトソンへ』

人生がうまくいかない。生きる意味がわからない。こうした苦しみこそ気づきのチャンスだ、とバーマンは本書で言う。どういう気づきなのか。強い自己はすべてをコントロールできる、という西洋近代の前提が間違っているという気づきだ。

彼は代わりに弱い自己を導入する。弱い自己とは何か。世界という大いなる循環の中の一要素でしかない、という謙虚さとともにある自己だ。たとえば、アルコール依存症患者はどうだろう。酒を止めようとする意志に身体は全力で抵抗する。意志が強固であればあるほど抵抗は強まり、ついには意志を砕いてしまう。

なぜうまくいかないのか。それは、意志が身体をねじ伏せようとするからだ。だがアルコール依存症患者の団体であるＡＡ（アルコホリック・アノニマス）の考え方は違う。定期的なミーティングの中で、参加者は自分が無力であることを認め、大きな力に身を委ねることを学ぶ。そして、かろうじて今日だけは飲まないでおこうと誓う。

大きな力とはなにか。神かもしれない。あるいは動植物すべてを含めた命の拡がりかもしれない。それがなんであれ、無力の自覚とともに、自己は身体と和解する。そして世界と和解する。

人類学者ベイトソンのＡＡに関する議論を引きながらバーマンは言う。こうした弱い自己こそが、現代の多くの問題解決へのヒントになるのではないか。

きちんと身体の声を聴きながら動くとき、自己は身体とともに一つのシステムを作り上げる。身体だけではない。周囲の人々、そして環境へと自己を開いていくとき、システムは拡張し続ける。こうした循環システム全体を精神と呼んでみてはどうか。敵対ではなく和解を、制圧ではなく傾聴を。真に世界とともにあるとき、自己は最も強くあり得るだろう。

マイケル・ポランニーやホワイトヘッドといった哲学者の議論を引きながら、科学の知が万能とみなされるようになった西洋近代全体とバーマンは向い合う。本書の情報量は膨大だが、その議論は思いのほかシンプルだ。「本当に生きること、黄金を獲得することは、自分自身の本性の命じるところに従って生きることによってのみ成し遂げられるのであり、そのためにはまず魂の死の危険に真向から向きあわなければならない」。

強い自己など表層的なものでしかない。その死をくぐり抜けることで、人はより深いところにある、弱い自己と出会う。かつて多くの物語が、こうした魂の旅を描いてきた。だがその意義は古びてはいない。

いや、環境汚染や地球温暖化といった巨大な危機に人類が直面している現代にこそ、こうした自己のあり方が必要とされているのではないか。近代を超える生き方を模索するバーマンの粘り強い思索に圧倒された。

初出：『朝日新聞』２０１９年８月31日

冗談さえも抵抗、ノーマンの地――岡真理『ガザに地下鉄が走る日』

どんな人も生きる権利を持っている。だがそれは当たり前のことではない、と岡真理は言う。たとえば、ガザ地区に住むパレスチナ人たちはどうか。度重なる攻撃や封鎖で心身をすり減らしても、世界は見て見ぬふりを続けるだけだ。そして人々の人権を保証するのが国である以上、国を持たぬ人々は誰にも護ってもらえない。人扱いされない人々、すなわち「ノーマン」に寄り添いながら、岡は現代社会を問い直す。なぜなら、最も低い場所からこそ、最も明確に世界が見えるからだ。

たとえばこのエピソードはどうだろう。ヨルダン川西岸地区のホテルのロビーで、岡はパレスチナ人の青年二人と落ち合う。外出禁止令の中、街を案内してもらうためだ。ロビーの奥にはイスラエル兵の一団がいる。けれども二人はやたらと冗談を言って笑い合う。ここには、圧制下に苦しむ人々というありきたりの姿は存在しない。

なぜ二人は冗談を止めないのか。人生を楽しむ力は誰にも奪えないということを、兵士たちに示すためだ。そこにあるのは、どんな外的な力も人の魂までは殺せない、という強力なメッセージである。ここでは、不真面目に軽口を叩くことが、そのまま真剣な闘いになっている。

僕らはパレスチナ問題について知っているつもりでいる。けれども本書は予想をことごとく覆していく。それは集団ではなく、個人にきちんと光を当てているからだ。パレスチナ人たちはただの、苦しみ続ける人々ではない。その一人一人に顔があり、想いがあるのだ。

西岸地区のホテルのロビーで、兵士の一人が岡に話しかけてくる。しかし彼女は彼を拒んでしまう。「あのとき、青年のほうから差し伸べてくれた手を握らなかったことを、今、とても後悔している」。悪いのは個人ではない。あくまでシステムなのだ。そして人が作ったシステムは必ず変えられるだろう。このぎりぎりの楽観が、本書をとても貴重なものにしている。

初出：『朝日新聞』2019年1月26日

心開いて人と出会う　米国の旅──江國香織『彼女たちの場合は』

目の前にいる人に心を開く。こんな単純なことができなくなった逸佳は不登校になり、大検を取って、ニューヨークの大学に留学する。それでも彼女は落ち着かない。全米を見て回りたい。一七歳の彼女は黙って、ホームステイ先から一四歳の従姉の礼那を連れ出す。英語が話せない逸佳と、まだほんの子供の礼那の二人組。もちろん日米に住む親たちの心配は尽きない。だが彼女たちは、ヒッチハイクをし、クレジットカードが止められれば仕事を見つけ、バスに乗り、南部を越え、西部まで旅していく。

逸佳が礼那に教わるのは、米国社会や英語についてだけではない。人との関わり方そのものだ。無邪気さと素直さを武器に、人種や年齢を問わず、礼那は次々に話しかける。そして嘘がいけないのは「淋しくなるからだよ」と告げる。

他人との境界線が薄いのは、彼女たちが出会う人々も同じことだ。自転車にはねられた老婆は、たまたま居合わせた二人に自宅の管理を任せる。その孫娘は、お金のない二人をアパートに住まわせ、ライブハウスでの仕事を逸佳に紹介までする。

読者は二人と共に旅しながら、子供はこうすべき、女性はこうすべきといった思い込みを徐々に手放していく。そして逸佳はクリスと出会う。彼と話しながら、「安心で十全で、余分なものの一つもない感じを」味わう。そのとき、言語や国籍の違いなど問題ではない。

名作『神様のボート』などで、江國は人と人とがどう関わり得るのかを探究してきた。本書に出てくる自然や人々はとにかく優しい。自分は自分のまま、ここにいていいんだ。周囲から肯定され続けた逸佳は、やがて自身も相手を肯定できるようになる。

江國の描く米国はリアルだ。バス発着所の雰囲気も、人々の持つ空気感も、常に厚みと説得力がある。本書を読むと、彼女の作品の核に、もう一つの場所としての米国が存在してきたことがよくわかる。

初出：『朝日新聞』2019年7月6日

命つなぐ手料理、内戦への抵抗——山崎佳代子『パンと野いちご』

突然、国内が戦争になる。家にいても銃声が聞こえる。兵士がやってきて、今すぐここを明け渡せという。そのとき必要なものとは何か。毎日の食べ物と、人とのつながりだ。約四十年間、セルビアの首都ベオグラードに住んでいる山崎は、ユーゴスラヴィア内戦から二十年近く経って、セルビア系難民たちの聞き書きを始めた。なぜか。欧米の巨大メディアが作った、セルビア民族主義対他の共和国の人々、という単純な構図からこぼれ落ちたのが彼らだからだ。

今まで声を与えられて来なかった彼らの語る過去は壮絶だ。クロアチア系やアルバニア系の兵士たちに追い立てられる。セルビアを目指して移動するも、生きて検問を通り抜けられるかどうかわからない。道を一本間違って敵の村に入れば、皆殺しにもなるかもしれない。

それでも彼らは負けない。ときにはアマチュア無線まで駆使して連絡を取り、遠い親戚にかくまってもらう。備蓄してきた食料を使って、なんとか日々の料理を作る。料理について、ゴルダナという女性は語る。「こうした状況のなかで、正常な気持ちを生み出してくれる、それは異常なことが起こっていることに対する抵抗でもあるのよ」。

だから本書には様々な料理のレシピが載っている。トルコ、スラブ、ドイツ、イタリアなど多くの起源を持つ食べ物は、どれもおいしそうだ。こんなに危険な時代に、彼女たちがここまで手の込んだ料理を作り、人々をもてなしていたことに驚く。

裏切りと暴力の時代にこそ、真の友情は現れる。民族の壁を越えて助けてくれる人がいる。留守中の家を見守ってくれる人がいる。動物ですら彼らのために涙を流す。ミーラは言う。「草を食べさせようと、馬を放してやると、こちらを向いて涙をこぼした。馬は泣きました、人間のように」。

大切なのは命だ。そして命に宗教や民族の違いなどない。食べることに注目した本書は、そんな当り前の真実を教えてくれる。

初出：『朝日新聞』２０１８年7月21日

女性の生きづらさ、鋭く問う——村田沙耶香『地球星人』

生き延びるとは、こんなに困難なことなのか。小学生の奈月には味方がいない。いつも苛立っている母親は彼女を出来損ないと罵り、学校でうまくやれない姉も奈月にあたる。なぜか。家族の中でいちばん弱い彼女をストレスのはけ口にするためだ。奈月は思う。「私はたぶん、この家のゴミ箱なのだ」。

自分を保つために、奈月はぬいぐるみのピュートとの世界を空想する。その物語を共有してくれるのは、長野の田舎にある祖母の家で夏休みに会う従兄の由宇だけだ。彼もまた、離婚の末に自殺未遂を起こした母親との困難な関係を抱えていた。二人は自分たちが他の惑星から来た、というお話を作って支え合う。

だがこの均衡を破る出来事が起こる。塾の伊賀崎先生に自宅に連れ込まれた奈月は性的な行為を強要され、味覚や片耳の聴覚を失ってしまう。このままでは殺される。故郷の星にも帰れなくなる。自分を追いつめてくる幻想の魔女と、奈月は手に持った鎌で必死に闘う。そして気づけば伊賀崎先生は死んでいた。

『消滅世界』などの作品で、村田は常に、現代日本に女性として生きることの困難を描いてきた。母親による価値観の押しつけへの嫌悪や、性への違和感など、彼女の問いかけは常に我々の心を深くえぐる。

社会の中で我々は「働く道具」、かつ「生殖器」となれと命じられる。じゃあ有能ならば誰でもいいのか。今ここにいる自分の感覚や喜びは、何の価値もないのか。

本書の後半で奈月は、失われた口や耳の感覚を取り戻すべく苦闘し続ける。ほとんどSF的な展開になるのは、今の世の中で女性が自分自身であり続けることが、どれほど困難であるかを示しているのだろう。

ものの味を感じ、音を両耳で聞けるようになったとき、彼女は既に人であることを止めている。いや、むしろここまで奈月を追いつめた我々のほうが人ではないのではないか。

村田の問いかけは鋭い。

初出：『朝日新聞』２０１８年11月10日

「社会」について

父親のいない世界――谷崎由依『囚われの島』

　百年経って、日本は変わったのか。女たちは生きやすくなったのか。違う、と谷崎由依は答える。本書で彼女は、厚みのある時間と対峙しながら、女たちに向けられ続ける共同体の暴力をえぐり出す。

『囚われの島』では二つの場所が交錯する。現代の東京と、世界大恐慌前後の丹後地方にある海辺の村だ。主人公である由良の父親は、彼女の子供時代、愛人のもとに去る。残された母は由良の兄を溺愛する一方、由良には辛くあたる。彼女が新聞社に入っても、祝いの言葉一つかけないほどだ。きちんと愛されたことのない由良は、直属の上司である伊佐田と不倫関係を持ってしまう。伊佐田は暴力までふるい彼女を支配しようとする。しかも由良が会議に出してきた企画を、他の社員の面前で罵倒し葬り去る。

　もうひとつの物語の主人公はみすずだ。養蚕しか産業がない村で、村いちばんの美女である彼女は結婚をせず、たった一人で上質な繭を作り続ける。やがて彼女は品種改良により、雄との交尾を必要とせずに増殖する特殊な蚕を生み出す。しかも彼女自身が誰とも知れぬ存在と交わり、まるで自分の複製のような娘まで産むのだ。だが、村のどの男とも寝ようとしないみすずに共同体は制裁を加える。恐慌で村の養蚕業が壊滅すると、蚕の神様への人身御供としてみすずを船に乗せ、沖合にある神の島へ流すことを決める。

二つの物語をつなぐのは夢だ。由良は行きつけのバーで盲目のピアノ調律師、徳田に出会う。やがて二人は、同じ夢に取り憑かれているとわかる。神の島に目の見えない自分が閉じ込められている。そうなったのは驚くほど醜いからだ。やがて英雄が舟で、共同体の敵である自分を殺しに来る。あるいは、女性が舟で自分を助けにやってくる。果たしてこの夢は過去の現実なのだろうか。あるいは、現在を表す比喩なのだろうか。

谷崎による女性差別の描写はリアルだ。夫に捨てられた母親は由良の兄を、夫の代わりとして仕立て上げる。そして自分も女性であるにもかかわらず、由良の努力を認めない。家事もすべて由良の責任とされ、兄は勉強だけしていればいいと言われる。「理不尽というより、たんに不思議だった。どうして兄ばかりがいつまでも褒められ、頼られるのだろうと。やがて気がついた――立派だからではない、男だからなのだ」。やがて東京で働くようになった由良を、母親は家族を捨てたと言ってなじる。そして失業者として実家暮らしをしている兄については、「お兄ちゃんが家にいてくれるから安心なのだ」と嬉しそうに語るのだ。母親の中に矛盾の感覚はない。なぜなら彼女にとって、娘はいくら攻撃しても構わない自分の一部でしかないからだ。

由良の上司である伊佐田もすごい。徳田に傾いていく彼女の気持ちを感じると、平気で顔を殴り、手荒なセックスを強要する。しかも養蚕の村を取材したいという由良の連載企画に対して、こんな言葉をぶつける。「まさかこれが仕事だと言う気じゃないだろうな。

こんな自己満足のおとぎ話、いったいどこの誰が読む？　新聞は自己表現の場じゃあない。いつまで勘違いしてるんだ」。やり手の伊佐田に対して反論できる者は社内にはいない。しかもその後、ほとんど同じ企画を男性である杉原が出し直すと、すんなりと受け入れてしまう。すなわち、由良は女性であるがゆえに、性的対象としての肉の塊にまで貶められた上、社会的に抹殺されるのだ。「誰も、静元の名前ひとつ口にしなかった。そんな人間は初めからいなかったかのように」。

ここには、東京だろうと地方だろうと一皮剥けば、変らず因襲的な共同体の呪いが続いている、という谷崎の認識がある。だからこそ、ほぼ一世紀前の村の話が生きてくるのだろう。なぜなら、文学に土俗的な民俗学の視点を接続しないことには、現代日本を深みから捉えることはできないからだ。

村においては、結婚もせず子供も産まない女性は居場所がない。たとえ大人の年齢に達しても、村の方針を決める男たちの寄り合いに参加することはできない。せいぜいお茶くみとして立ち働けるだけだ。「わたしだってもう大人の年齢だったけれど、とても彼らの一部にはなれぬ。彼らは村の決まりであり、不文律なのでした」。女性を性的な目でのみ見る男たちは、彼らの支配に屈しないみすずを許さない。「欲望を一手に引き受けながら、それをただもてあそんでいた――かれらには、そのように思えたのでした」。そして勤勉に働くことで村を経済的に支えた彼女の貢献に報いることもなく、ついには共同体の敵として彼女を排除する。女性は男性の所有物でなければならない、という男たちの信念は、いかなる合理性も超えてしまう。

それでは、この作品に逃げ場はないのか。一つだけある。盲目の体験、そして夢の中だ。徳田のマンションの部屋を訪れた由良は、暗闇の中ですべてをはぎ取られる。「視覚の存在しない世界では、衣類は覆いの役を果たさない」。そして彼女は服も、肉体も、心の壁も脱ぎ捨てる。由良の存在を示すのは、徳田の手で由良の服に付けられた鈴の音だけだ。ちりと鳴る金属音は現実を超え、夢を経由して、一世紀前の村にまで響き渡る。そこには、父親的なものの支配は存在しない。ただ裸の魂が水平に向き合い、心に秘められた甘やかさを交換するだけだ。そんな「父親のいない子どもたち」による世界の中で、目の見えない蚕が、性交を経由せぬまま増殖していく。

こうした安らぎの世界こそ、女性たちにとって見果てぬ夢であろう。本作で谷崎は、現代日本を蝕む病を正面から見据えている。

初出：『すばる』２０１７年8月号（集英社）

少女たちの闘い――マーガレット・アトウッド『誓願』

あの名作の世界が帰ってきた。ニューヨークの書店で『誓願』のハードカバーを見つけたとき、僕は喜びに震えた。もう出ないかもしれないと思い続けてきた『侍女の物語』の続編が、三十五年のときを経て、しかもアトウッド自身の手で書かれるとは。ページを繰るごとにめくるめく悪夢が展開し、ついにまさかの結末を迎える。一気に引き込まれた僕は、分厚い作品を心行くまで堪能した。その名作が今回、日本の読者にも開かれた。

おさらいしよう。『侍女の物語』とはどんな作品だったのか。近未来のアメリカを舞台としたディストピア小説である。その特徴は、歴史上未知のものが少しも出てこない、というものだ。アメリカ議会が少数のテロリスト集団に襲われ、憲法が停止される。やがて再び秩序が取り戻されるが、それは今までのアメリカ合衆国ではなかった。代わりに樹立されたのがギレアデ共和国である。ギレアデにはある特徴があった。堕落した現代文明を排除し、政治と宗教を一体化した神権政治が打ち立てられたのである。すなわち、アメリカ入植初期のピューリタン国家が復活したのだ。

資本主義国につきものの貧富の差はギレアデにはない。神の前にはみな平等である。そうしたユートピアを生み出すために導入されたのが、黒人など少数民族の大虐殺と、徹底した女性蔑視だった。すなわち、国家が人種差別と性差別を公式に導入することで、白人男性の天国を生み出すことに成功したのだ。有毒物質がはびこり、出生率が劇的に低下したギレアデでは、女性全員が職業を奪われ、財産を没収される。そのうえで司令官の妻、下働き、子供を産むのが仕事の侍女に分類され、社会の各所に配分される。

　この作品の語り手が配属されたのも侍女だった。彼女たちは高齢な司令官の家に派遣され、元の名前を奪われて、「オブフレッド」(フレッドの)といった所有物としての名前を与えられる。そしてひたすら司令官と性交を伴う儀式を重ね、妊娠に失敗すると不完全女性として有毒物質処理に回され、死を迎える。

　人としての尊厳を完全に奪われた彼女たちだが、密かな抵抗は続く。買い物中のほんの少しの目配せで他の侍女たちと意思を疎通し、短い囁きで情報を交換して、広大な領域のネットワークを構築する。彼女たちを支援する組織もある。地下鉄道と呼ばれ、各地のクエーカー教徒などが協力しながら、秘密裏に侍女たちを匿い、カナダまで逃がすのだ。もちろん政府は地下鉄道を目の敵にするが、自由を求める人々を支配しきることは誰にもできない。

　作品は、主人公がなんとか配属された司令官の家から組織の手伝いを得て逃げ、地下に身を隠した状況で終わる。彼女が無事カナダまで行けたかどうかは誰にもわからない。ただ、組織の拠点で発見された二十世紀のカセットテープに吹き込まれた証言から、彼女の不完全な足取りが判明するだけだ。そしてこの作品自体がこのカセットテープの書き起こしという設定になっている。小説の最後にギレアデ学会の記録が付されていることから、どうやらどこかの時点でギレアデが崩壊したということがわかるが、その具体的な経緯は示されない。だから読者はそれを想像し続けるしかない。

経緯を想像してきたのはアトウッド自身も同様だったらしい。だからこそ、続編である『誓願』と前作の間にギャップはない。ただし状況の大きな変化はある。三十五年前には、アメリカが全体主義になる、というのはあり得ない空想に思えた。だがトランプ政権を目の当たりにした現在では、宗教的保守の過激派による権力奪取は、ほんの一歩先の未来にしか見えない。おそらくだからこそ、アトウッドはこの時期に、現代アメリカへの強力な介入として本作を書いたのだろう。現代カナダを代表する作家でありながらハーバード大学で学び、アメリカの事情にも精通した彼女だからできた偉業である。

前作の続編とはいえ、『誓願』はギレアデ建国から崩壊直前までを詳細に描いている。だから『侍女の物語』を読んでいない者も十分に楽しめる。語り手は三人だ。司令官の娘として生まれたアグネス、幼少期にギレアデから連れ出され、カナダで育ったニコール、そしてアメリカ合衆国時代に法律家を務め、ギレアデでは女性世界を支配する小母のトップとして君臨するリディア小母である。別々の形で残された証言から構成されたという設定だが、彼女たちの多様な声は巧妙に組み合わされ、ギレアデ対女性たちの闘いが、息つく暇もなく展開する。

母に愛されて育ったアグネスだが、途中で実の娘ではないことが判明する。それだけではない。本当の母親はカナダに逃げ出し、反ギレアデ組織であるメーデーで活躍しているらしい。途中で義理の母親を失い、父親の再婚相手に厄介払いされるべく結婚を押し付けられた彼女だが、監視の目をかいくぐって小母の見習いに潜り込むことに成功する。一方ニコールは偽装改宗者としてギレアデに潜入し、ある秘密文書をリディア小母の手で体内に埋め込んでもらう。実はリディア小母はギレアデを崩壊させるべく、長い間着々と計画を練ってきたのだ。そしてアグネスとニコールはペアとしてカナダを目指す。彼女たちは、助け合わなければならない事情があった。二人は血のつながった姉妹だったのだ。

果たして彼女たちは死の危険を潜りぬけ、カナダに到達することができるのか。抑圧された女性のために少女たちが果敢に立ち上がる。その勇気に、読者は揺り動かされ、自らも一緒に暗く危険な道のりを旅していく。堅苦しいアグネス、はすっぱなニコール、そしてときに冷酷なマキャベリストとなるリディア小母と、アトウッド作品に出てくる女性たちは呆れるほど多様で魅力的だ。女性を見下す者は女性に打倒される。アトウッドの圧倒的な作品には、いまだ男性優位の世界を変える力が秘められている。

初出：『すばる』２０２１年2月号（集英社）

心の言葉――津村記久子『サキの忘れ物』

優しいだけで、人はこんなにも苦しまなければならないのか。表題作の主人公、千春は高校を中退して病院の喫茶店で働いている。学生時代唯一の友達だったはずの美結は、ちょくちょく店に顔を出しては千春に小銭を出させる。彼女は貧しいわけではない。ただ千春に、自分より下だと思い知らせたいだけだ。そして恋人の悠太にはフラれてしまった。実は彼女は、「浮気の浮気の浮気相手」だったのだ。千春自身はそれでもかまわないと思う。けれどもお前に連絡するのが面倒だ、と悠太は言う。

どうして千春はこんな相手と関わっているのか。自分を相手にしてくれる人なんているわけないと思っているからだ。その信念を彼女は家庭で身につけた。父親は家の外に女を作り、彼女のことばかり考えている。傷付けられた母親はすべてに関心を失い、娘の世話も止めてしまう。ただボーッとテレビを視ているだけの母親に毛布の在る場所を訊けず、千春は風邪をひく。

千春は思う。「自分のやることのすべてに意味なんてないのだ、と千春は高校をやめる少し前からずっと思うようになっていた。だからきっと、何をやっても誰もまともに取り合うはずもないのだ」。それでもいいのか。自我も欲望もなく、ただ暗い水の中に沈みこむように生きていてもいいのか。

そうではない。自分の深い部分で、自分でも気づかぬまま何かが動く。だから千春は、二百円負けろという美結の願いを断る。こんなことで唯一の友達を失ってしまうのか。そう思いながらも、彼女は店を出て行く美結を追いかけない。心の内で動いているこの気持ちはなんだろう。だがこの時点では、千春の中にそれを摑み取る言葉は存在しない。

教育は思わぬ形でやってくる。ある日、常連さんが本を忘れていく。新潮文庫の『サキ短編集』だ。今まで本を一冊も読み通したことのない千春にとって、その作者の名前は初耳だった。けれども、胸の中にザワつく感じを憶えて、彼女はその本を無断で持って帰る。

実は悠太と別れる前、結婚して子供ができたら「サキ」という名前にしよう、と千春は思っていたのだ。漢字はわからない。けれどもこの音がいい。子供という、自分にとってとても貴重な存在は悠太に捨てられることでおあずけになった。でも代わりに、同じ名前を持つ本が自分の目の前に現れた。千春はこの機会を自分の意志で摑み取る。

語彙力のない千春にはこの本は難しい。だが次の日またやってきた常連の女性に本を返したあと、この人ともっと話したい、と彼女は思う。「珍しいことだった。千春が誰かに何かを話しかけたいと思うことは。何を話しかけたいか、ちゃんと頭の中に文言が出てくるということは」。そして自分の意志で書店に寄って同じ本を買い、少しずつ読み進める。

もちろん文学に映画やドラマのような派手な面白さはない。だが徐々に彼女は、淡いアイロニーの味わいを受け入れ始める。ということは、一冊目の読書として、『サキ短篇集』

は十分に正解だったということだろう。家の中に入ってしまった牛の絵を悠然と描いて画家が永遠の名声を手に入れる話（「肥った牛」）、社会主義者の貴婦人が相次ぐ召使いや厨房のストライキに取り乱す話（「ビザンチン風オムレツ」）と、サキのナンセンスは彼女の心の柔らかい部分に触れてくる。

友人の回復とともに、常連さんは喫茶店に訪れるのを止める。だがその前に、彼女は千春に感謝の言葉と読書リストを残していく。アガサ・クリスティ、サマセット・モーム、織田作之助、そしてアイザック・アシモフ。読書初心者にとってこれは、この上なく的確なリストだろう。小学生が読んでも、さんざん読書をし尽くした人にとっても確実に面白い作品を残した書き手たちの名前。

その名前の並びをしっかりと胸に抱きながら、千春は一年かけてすべて読み通す。そのころにはもう、彼女は違う自分を見つけ始めている。やがて高校卒業の資格を取った千春は書店に就職する。そして人々を本の世界に導き始める。

自分を変えたい。でもその変え方がわからない。しかし常連さんとのほんの一瞬の関係が千春を変える。彼女は千春としっかり向き合い、電車に乗らなくてすむ千春は「幸せ」だと言う。このとき、不毛な関係に閉じ込められていた千春の世界に光が差す。こんな自分を幸せだと言ってくれる常連さんの世界に行きたい。そして自己を肯定してみたい。

それは、単なる誤解かもしれない。それでも常連さんとの偶然の出会いを通じて千春は少しずつ言葉を獲得していく。そして、自分の感情をしっかりと認識できるようになる。言葉によって彼女の心の筋肉は鍛えられていく。やがては、自分をいいように使い、利用し、傷付ける人々から距離を取ることができるようになるだろう。そして常連さんの導きを離れて、自分の脚で歩けるようになるだろう。

本書に収録されている他の作品でも、こうした気づきや成長が描かれている。「Sさんの再訪」では、大学時代の記憶と正面から向き合ううちに、夫が自分にしていることは暴力だと認識した妻が別れを決意する。「隣のビル」では、ふとしたはずみで隣のビルに飛び移った会社員が、ある女性と会話をすることで、自分を傷付けてくる上司のいない場所への脱出を決意する。

孤立し、追い込まれ、他の人の助けを得られない場所にいる人々は、精神的な暴力に苛まれながら、その状況から身を引き剥がす力を得られない。ただ無力感の中で惰性の日々を送る。彼らはそうした日常に満足しているわけではない。ただ一歩踏み出すのが恐いのだ。そして踏み出せる自信が持てないのだ。

だからこそ津村記久子はその、決死の第一歩目を記録する。彼女にとってそれが文学なのだろう。そのことによって津村は、絶望の沼と化した現代日本を言葉で切り裂く。そして今、小説を読むことの意味を読者に突き付ける。さあ、次はあなたが変わる番だ。

初出：『新潮』２０２０年8月号（新潮社）

デジタル画面が消えた日常――ドン・デリーロ『沈黙』

今や我々は様々な画面に閉じ込められている。記憶をすり抜けたものを探し出すのも、自分のこれからの未来を占うのも、すべてデジタルの画面の上だ。だからこそデリーロは問いかける。もし世界中の画面が同時に消えてしまったら。

舞台は二〇二二年のニュージャージーだ。アメリカンフットボール最大の祭典スーパーボールがその日に行われようとしている。これから始まる試合を楽しもうとマックスたちはアパートの部屋で画面に向かい合う。だがそこで思いがけないことが起こる。テレビ画面が真っ白になってしまうのだ。

それだけではない。ジムとテッサの夫婦はパリ発の飛行機に乗っている。だが突然、すべての電子装置の画面が消え、飛行機は大きく揺れ始める。なんとか飛行機は不時着し、二人は奇跡的に助かる。そしてマックスの部屋に姿を現す。

すべての電子機器との接続を絶たれた彼らはどうなるか。ジムは飛行機の窓に頭をぶつけて血を流す。マックスはアパートの階段を上がりながら段数を数える。そして、近所に住む見知らぬ人々と関わらずに暮らしてきてしまったことに気づく。知らず知らずのうちに人々は自分自身をコンピューター上のデータに置き換えてきた。けれども今や自分の身体や孤独と向き合うしかない。

おそらくこの瞬間にこそ、日常を超えた聖なるものを受け入れられる隙間が我々の心の中に開けるのだろう。ちょうどテッサがパリの聖堂で見た、ひたすら上を向いて天井に描かれた天使たちを眺める観光客たちのように。「今でも私、眠る前にあの人たちのことを考えるわ。奥行きのある回廊でじっとしている姿を」。

デリーロは常に、現代社会において我々が日常を剥ぎ取られる瞬間を見つめ続けてきた。たとえば『ポイント・オメガ』では、自分の手を汚さぬまま湾岸戦争に加担した老人が娘を失い、初めて身を引き裂かれるような痛みを抱く。常に表層的な情報に流され、自分の死や孤独を見失うしかない現代社会において、きちんと生きることとはどういうことなのか。

このあまりに短すぎる長篇にも彼の真摯な問いは息づいている。前衛的でありながらエンターテインメント性に満ちたデリーロ作品を読む喜びを一度、体感してほしい。

初出：『日本経済新聞』2021年7月24日

弱い命に手を差し伸べる心──J・M・クッツェー『モラルの話』

排水溝の中で、猫が怯えながら子供を生んでいる。なぜか。見つかれば、猫を害獣と見なす村人たちに殺されてしまうからだ。だが、通りがかった老女は猫を見つけ思う。「わたしも母親なの」。そして母子を家に連れて帰る。短篇「老女と猫たち」の語り手は、おそらくエリザベス・コステロだ。彼女の論敵はアメリカに住む息子で、弱った母親を、このスペインの集落から連れ出そうとしている。

だから彼は言う。勝手に猫を増やしては、村人の迷惑になるではないか。それは論理的には、母親の議論よりずいぶんと説得力がある。けれども、彼女を感情的に納得させない。だからいくら言い負かされても、息子の言う通りにはしない。しかも猫だけではない。彼女は知的な障害を持つパブロとの奇妙な同居すら始めていた。なぜ、と問う息子にこう答える。村で邪魔者扱いされていた彼と、ただ出会ってしまったからだ。

クッツェーは作品を通して、現代社会を覆う思考法と闘ってきた。効率のためにはどんなことも許される。だから生まれたばかりの雄のヒヨコが膨大な数、殺されても問題ない。だが彼は言い返す。そんな世界は嫌だ。こうした社会の中心には、人間だけが価値がある、という思想がある。だがそのために、動物たちだけでなく、多くの人間たちもまた、戦争や奴隷制の中で、動物扱いされ殺されてきたのではないか。

こうして、クッツェーは西洋の全歴史と敵対し、常に負ける。なぜなら彼の言うモラルは、現代を支配する力の外側にあるからだ。だが彼の作品は命への配慮の感覚を読者の心に残す。「あなたは人に感じ方を教えている」という娘のコステロへの言葉は、そのままクッツェー自身にも当てはまるだろう。

モラルとは単なるお説教ではない。目の前の弱者に、考える暇もなく反応してしまう心の動きだ。このクッツェーの思いに、僕は今を超えていく力を感じる。

初出：『朝日新聞』２０１８年8月11日

効率偏重が生む悪、現代にも――フランコ・モレッティ『ブルジョワ』

役に立つ人間であれ。効率的に働け。真面目に暮らせ。社会の命ずる声に追いつめられた我々は疲れ切り、生きる意味さえ見失ってしまった。でも、こういう世の中を作ったのはいったい誰なんだ。ブルジョワである、とモレッティは答える。

それまで権力を握っていた貴族たちは違う原理で動いていた。名誉を求める激しい戦争や情熱的な冒険は短時間しか続かない。あとは彼らは遊んでいるだけだ。だがブルジョワは違う。彼らは政治より経済に注力する。ものを作り、商売をするためには日々、努力を積み重ねなければならない。

彼らの徳が現われているのがデフォーの『ロビンソン・クルーソー』だ。十八世紀に書かれたこの作品で、クルーソーは島で役に立つものをかき集め、重労働の末に快適さを手に入れる。彼が関心を持つのは現実と向き合い、改変することだけで、名誉や勝利など眼中にはない。

けれどもこうしたブルジョワの倫理を徹底すると非合理に至る。十九世紀に入りドストエフスキーは、多数の幸福のためには殺人も許される、と考える青年を描いた作品『罪と罰』を書く。イプセンの戯曲に出てくるブルジョワたちは、法が及ばない灰色の領域で蓄財を重ねる。まさに「適法性の外套によって護られた不正」だ。こうして、ブルジョワの合理的思考は内側から崩れ去る。
モレッティは文学と社会がどう出会うかを論じてきた。それはブルジョワの出現と破滅を文学作品から探る本作も同じである。効率や勤勉さ、正しさを突き詰めすぎると悪が噴出する、という彼の批判は、いまだブルジョワ的倫理から逃れきれない我々をも突き刺す。ならばどうすればいいのか。命への共感や喜び、遊びに満ちた世界を取り戻すには。モレッティの本にその処方箋はない。しかし、かつてこの世界以外の世界が存在していた、という彼の指摘だけでも、この堅固な世の中をひび割れさせる力はある。

初出：『朝日新聞』２０１８年11月24日

日本と台湾、人の数だけ存在する——温又柔『空港時光』

日本とは何か。温又柔は問いかける。たとえば短篇「百点満点」で終戦の日に台湾では昭和が終わる。もしそこが日本でなければ、そもそも昭和という年号は存在しない。だがそこが日本なら、その後もずっと続いていたはずだ。

あるいは母親の言葉だ。台湾では学校に行かなくていい、という娘の言葉に彼女は反論する。「因為我們去台灣的時候、都是なつやすみかふゆやすみ。リ・マレ・タイワン・ドウアーハン、台湾の学校に行かなくちゃダメ。不可能毎天デパートかレストラン！」。中国語と台湾語と日本語が混ざった台詞はまるで詩だ。だがもし日本の読者が訳なしにこの母親の気持ちを理解できるなら、これもまた日本語ではないか。

日本と外国、日本語と外国語。僕らの頭の中にはこうした二分法が居座っていて、同時に両方であるものについて考えられない。だから日本には、台湾は親日だと言う人と、かつて日本に植民地にされた台湾の怒りを指摘する人の二種類しかいない。けれども温は言う。彼らは対立しているようで、台湾を単純な存在として見ている点では同じだ。

そこで温が強調するのは複雑さだ。ノンフィクションで自分語りをし、同時にフィクションで、世代や性別、国籍の違う様々な人々の主観に入っていく。いつどこでどんな教育を受けたか、その後どこに移動したかで日本や日本語との距離感は違う。そしてどの人の経験もすべて真実なのだ。言い換えれば、人の数だけ日本は存在する、ということになる。「音の彼方へ」で台湾に住む祖母は、幼いころ教育された日本語で、日本育ちの孫娘の温に嬉しそうに語りかける。歴史を学んだ孫娘のほうは複雑な気持ちでいるのに。こうした一見、政治的に正しくない場面にふいに現れた祖母の優しさを捉えるとき、温は正面から文学に向き合っている。もし日本や日本語について考えることが日本文学の役割ならば、温はその中心にいる。

初出：『朝日新聞』2018年9月8日

「自治の感覚」の源、粘り強く思索――岸政彦『はじめての沖縄』

とにかく写真が良い。たくさん収録されている写真はどれも何気ない。だがそこには、沖縄の光と、風と、匂いが捉えられている。中でも驚いたのがこれだ。岸がタクシーに乗る。すると信号待ちのたびに運転手さんが紙ナプキンを上手に縒って、小さなバレリーナを作ってくれる。ちょっとピンぼけの写真の中で、彼女は今にも踊り出しそうだ。

あるいはこんな挿話だ。肌寒い日、岸が暖房のない公立図書館で調べ物をしている。昼食に出てから元の席に戻ると、さっき少し話した職員さんの私物の電気ストーブがそこにおいてある。こういう人がいるなんて、沖縄って良いところだな。岸の思索はそこでは終わらない。どうして自分の判断で、彼らは東京や大阪の感覚より一歩踏み込んで親切にできるんだろう。

南国の人々はそういうもの、と考えてしまえば思考停止になる。むしろ、日本やアメリカに踏み付けにされてきた歴史が彼らに「自治の感覚」を与えたのではないか。戦後の焼け野原で生き延び、復興を遂げるためには、お上に頼らず、地縁や血縁で助け合いながら自力でどうにかする、という生き方がどうしても必要だったのではないか。

もちろんこれは仮説に過ぎない。わかったつもりにならないために、大阪に住む岸は粘り強く沖縄に通い、沖縄戦の記憶の聞きとりを続ける。僕の中に残ったのはこの声だ。戦後はタクシー運転手を続けてきた男性が、話しながら何度も岸の名前を呼ぶ。「岸さん、岸さん。日本は、戦争の被害者じゃないんです。加害者なんです。岸さん」。「岸さん」という固有名に、どんな言葉にもできない思いが響く。

直感的で、常に外部に向かって開かれている岸の文章は、決して結論には至らない。常に逡巡しながら時間をかけて、響いてくる声にゆっくりと体を慣らしていく。受け身という弱さに踏みとどまり続ける彼の強さに、僕は魅せられた。

初出：『朝日新聞』２０１８年6月16日

言葉から逃れ、他者受け止める――千葉雅也『意味がない無意味』

つながりすぎると動けなくなる。発言したとたん、ウェブ上で膨大な数の反応が返ってくる。それが称賛であれ批判であれ、僕らはどうにも縛られてしまう。そして、人はどう思うだろう、と考え続けることで疲れ果てる。

もちろん互いの理解は急速に進むだろう。だがそれも、価値観が近い者同士の話だ。政治的立場や宗教が違ってしまえば、こうした理解は望めない。そして気が知れない、となったとたん、果てしない非難合戦が始まる。

わかり合える仲間とわからない他人、という世界観を抱きながら、人目を気にして疲れ切り、わからない者たちと軽蔑し合う。こんな不毛さをどう断ち切ればいいのか。千葉雅也は正面から立ち向かう。

キーワードは「諦め」と「赦し」だ。理解不能な他人に対して、ただ自分の正しさを押しつけても反発されるだけだ。むしろ、その人なりの歴史があってこうなっている、ということをいったん受け止めること。そしてあるがままの姿を許すこと。

こうした存在を、千葉は「意味がない無意味」と呼ぶ。意味があると思ってしまうのは、相手を言葉で摑みきることができると見なしているからだ。だが生身の身体を持つ人間は、ついに言葉から逃れる存在である。なぜなら身体は、言葉の外側にあるからだ。

かつて南アフリカの作家クッツェーは、拷問され苦痛にうめく身体から立ち上がる倫理について論じた。物質としての身体を傷つけてはいけない。他者の身体も、そして自分のものも。こうした痛みこそが無限に増殖する言葉を断ち切るのだ。

千葉の議論も近い。彼はそうした他者の身体への姿勢を「歓待」と名付ける。「裏切りの可能性を受忍しつつそれでも他者を信じること」。それは同時に、自己の身体をも歓待しながら、動く自由を取り戻すことにつながるだろう。

哲学的、ときに詩的でありながら、現代の実感に根差した千葉の文章は、疲れた僕らを確実に元気にしてくれる。

初出：『朝日新聞』２０１９年１月19日

境界なく出会う場　再生への試み
――東浩紀『ゆるく考える』石田英敬、東浩紀『新記号論』

人生はいいときばかりではない。病気になる。仕事がうまくいかない。大切な人を失う。そうした危機のときに助けてくれるのは誰か。

「家族や友人など、面倒な小さな人間関係しかないのではないか」、と『ゆるく考える』で東は言う。直接何度も会い、時間を共有し、良いところも悪いところも受け入れ合う、厚みのある関係の中でだけ人は成長できる。

けれども、そうした場所が現代社会には少ない。職場では短期間に成果を求められる。ウェブ上では多くの人が簡単に集まり、駄目となればすぐに逃げ出す。どうしてこんな不寛容な世の中になったのか。デジタル化が進んで、身体が忘れ去られた、というのが答えだろう。

身体はとにかく面倒くさい。臭うし、汗をかくし、何をするにも時間がかかる。その点、データ化された言葉は面倒くさくない。汚くないし、一瞬で遠くまで伝わる。しかも手軽に書き換えられる。かくして、僕らは自分をデータと同一視することにした。

そして他者の面倒くさい身体は排除されるようになる。それは移民も、障害者も同じだ。だがその排除はやがて、自分にも適用されるだろう。なぜならすべての人は老い、弱るからだ。

ならば社会に身体を取り戻そう、というのが東の試みである。その身体はあらゆるものに及ぶ。たとえば高低差と所得格差がつながることから、東京の地形という身体に彼は気づく。

それだけではない。破壊された原子力発電所に「観光」に出かけることで、科学者の説明にも報道の言葉にも出てこない、原子力の身体を見出す。

どうして彼はそんなことをするのか。友と敵に簡単に別れ、互いの意見など聞こうともしない、という高度にウェブ化された現代において、誰もが逃れられない身体を基盤にして、もう一度、人々が出会える場所を再生しようとしているからだ。

だから東は時間制限なしにゲストが話せる「ゲンロンカフェ」を作った。石田英敬との共著『新記号論』はそこでの、十三時間以上に及ぶ対話の記録である。

話題となっているのは、現代社会にいかにくさびを打ち込むか、だ。SNS上で憎しみや怒りなどの感情は感染し、世界中に瞬く間に拡がり、政治まで動かす。

こうした脳同士の模倣による暴力の連鎖をどう止められるのか。フロイトの言葉を引きながら、石田が提案するのは切断と沈黙だ。コミュニケーションのうねりからいったん自分を引き剥がし、沈黙の中でものごとを捉え直す。自分の身体に立ち戻りながら、人類の身体である歴史に目を向ける。

もちろん、こうした身体の回復を支えられるのは、面倒くさい人間関係の他ない。東の一連の活動は、言葉の真の意味において批評的だ。

初出：『朝日新聞』２０１９年４月20日

「仕事」について

見えないものたちの声を聞く——いしいしんじ『マリアさま』

いしいしんじ祭りに参加したことがある。マグロで知られる漁港、三崎でのことだ。神社の神楽殿の扉が突然開かれ、中にいしいが座っている。机に向かった彼は、その場で小説を書き始める。

湧き上がる物語は彼の声となって流れ、境内の観客たちの体を浸す。観客の思いは渦となり、彼に押し寄せる。一人の声だけが響く奇妙な会話。そして作品が終わったとき、全員が不思議な満足感を抱いている。

あのとき彼は何をしていたのか。見えないものに目をこらし、聞こえないものに耳を澄ませていた。そのことは本短篇集所収の「自然と、きこえてくる音」を読めばわかる。

祖父は京都に住む録音技師だ。里帰りした孫の「わたし」を赤いスポーツカーに乗せて、琵琶湖まで旅に出る。旅の目的は音を拾い集めることだ。鰻の焼ける音。クイナの鳴声。

そうしているうちに、固く閉じた「わたし」の心はほぐれていく。祖父は言う。「自然と、むこうからきこえてくるもんだけで、だいたいのほんとうは、わかるもんやで」。なぜか。すべてのものは常に語りかけているからだ。

すべてのものとは何か。「せせらぎ」では山だ。「とってください」では白いテニスボールだ。だがなんと言っても動物たちだ。「おとうさん」でカラスに「あにきたちー!」と呼びかける男は、確かにカラスの言葉を聞いている。

あるいは「犬のたましい」で飼主の老婆に先立たれた犬は、墓の中から漂ってくるビーフジャーキーの香りを通じて彼女の声を聞く。「においだけでじゅうぶんです。私は犬なのですから」。

目に見えず、耳に聞こえず、手で触れられず、でも確かにそこにいる。いしいの作品で、生者と死者、人間と動物、生物と物は区別されない。みなが魂を持って、いつもそこにいる。

いしいが児童文学作家に見えるのは、大人の文学がそうした感覚を失っているからだろう。他界は今、ここにある。彼の作品はそのことを思い出させてくれる。

初出：『朝日新聞』２０１９年11月２日

漢字に息づく命が動き出す挿話――円城塔『文字渦』

文字は生きている。かつて中島敦は「文字禍《もじか》」で、文字の霊を見つけたアッシリアの博士について記した。ばらばらの線がまとまり意味を持つならば、それらを統一するための命があるはずだ。探求の途上で、彼は文字が人々になした害悪をも暴いてしまう。やがて地震が起こり、書斎にいた彼は楔形文字に満ちた大量の粘土板に埋もれて死ぬ。博士は文字の霊に復讐されたのだ。

そして円城塔は「文字渦《もじか》」で、漢字に息づく命について語る。万物の形を生々しく写し、象形文字としての性質を色濃く残す漢字に強い力が備わっていても何の不思議もない。俑という名の男は思う。「俑にとっての文字とは、一文字一文字が神性を帯び、奇瑞を記し、凶兆を知り、天を動かすためのものである」。人々は呪力のある文字を土や竹に刻んで天に働きかけ、集団としての安寧を得てきた。

だから俑は秦の文字が嫌いだ。過度に抽象化され、扱いやすく読みやすい記号と化した文字は、強い力を持つことができない、と彼は思う。「馬のように見えない馬の字などは事物と一時の結びつきしかもちようがなく、符丁の意味はすぐに見失われて、ただの模様に成り果てるだろう」。

そう考える彼は、幼いころから土をこね、様々な生き物を造形してきた。彼の生み出す動物も人間も、まるで独自の命を持っているようだ。その手腕が買われて、秦の都の賑わいを写すべく、彼は大量の人形を作ることを皇帝に命じられる。その一つ一つを区別するために、俑は膨大な数の漢字をも作り上げる。そのすべてには人偏が付いていた。

ＳＦ的な作品で知られる円城は、中国の過去にもう一つの未来を見つけた。高速処理可能なただのデータではない、生命を持つ漢字の世界だ。連作の中で文字たちは光を放ち、子を産み、皇后により恣意的に作られた新字に反乱を企てる。魅力的な挿話の各々は読む者を捉えて放さない。

初出：『朝日新聞』２０１８年10月20日

地図のない世界、心躍る感覚——坂口恭平『建設現場』

事前に計画をし、準備をして、時間どおりに生きる。そのことで僕らは何を失っているのか。小説であり、散文詩であり、同時に思索の記録でもある本書で、坂口はこれまで追求してきた問いを深めている。

主人公はサルトだ。過去の記憶をほとんど持たない彼は、気づけば大規模な建設現場にいる。労働者として、あるいは監督として彼は働くが、なかなか建築は進まない。それもそのはずだ。建物は常に図面からずれ続け、ようやくできた部分も、世界の止まらぬ崩壊により端からこわれていく。

彼はどうしてこんなことをしているのか。そもそもここはどこなのか。この世界には全体を捉えた地図など存在しない。複数の場所は存在するものの、カフカの作品世界のように、自在に伸び縮みしてしまう。サルトはそれらを経巡りながら、やがてあることに気づく。

ここでは二つの原理が対立している。論理的な言葉と、感情や感覚だ。固い言葉は図面を引き、土地をコンクリートで覆い、人々の行動を監視する。だがこうした管理の欲望は挫折せざるを得ない。なぜなら、土地も僕らも生きていて、変化し続けているからだ。

だが感情や感覚は微細な兆しを捉えられる。手のひらの動きは感情を伝え、視線はいまだ生まれていないものさえ見て取る。感情に揺り動かされて言葉は動きだし、歌になり踊りになる。

　地図がないのは本作も同じだ。先行きも見えぬまま、どこにでも動いていくから、読者は最初当惑する。けれども徐々に読み方がわかってくる。次々と目の前に展開する世界を、ひたすら描写し続けること。かつてバロウズが『裸のランチ』を書くときに採用した手法は、本作でも有効に機能している。

「鳥は夕暮の空を、色を塗るように飛んでいた」。そうだ。この本を読んでいるとき、読者も動物になればいい。まるで蟻が巣穴を作るように書かれた本作は、心躍る感覚のレッスンを与えてくれる。

初出：『朝日新聞』２０１８年12月15日

自分の時間取り戻す夢の連なり——中原昌也『パートタイム・デスライフ』

現代の我々は自由なのか。違う、と中原昌也は答える。本書の主人公は工場で繰り返し作業を強いられる。激しい轟音の中、他の人々と言葉も交わせない。常に暴力が見え隠れする軍隊式の管理に、新たな情報技術が加わる。

生体認証で個人が徹底的に縛られ、スマートフォンで居場所を監視され続ける。カメラはトイレにまで入り込み、工場の支配に協力的な従業員は「モルモットーズ」と呼ばれる。もちろん、排泄まで管理された「モルモットが『もっと漏る』」という駄洒落だ。

こうした不自由の根底には、時計で測られる時間への服従がある。機械は時計の時間に従う。その中で働く人間たちがうまく調子を合わせるには、客観的な時間に従うしかない。けれどもそれでは、自分の身体まで他人のもののようになってしまう。

主人公は言う。「人々に流れている時間は、個々に違う速度であるのに、何故わざわざ相手が定めた期限に沿わねばならないのか」。そうだ。自由になるためには、人は時計の時間ではなく、自分の内的な時間に気づかねばならない。

たとえばハシビロコウはどうだろう。獲物を狙ってじっと一日動かずにいる鳥は、まるで死んでいるようにも見える。だがそれは我々が生の領域を狭くしか捉えていないからだ。

本書には他にも様々な動物が登場する。跳ね回る子馬、凶器に描かれたかわいらしい犬と猫のイラスト。中原はそうした記述を通して、動物に学ぶこと、いや、動物に成ることを促しているように思える。

だから居酒屋の店長は電話で巧みな声帯模写の技術を使って、バイトのユキちゃんに変わり、そしてオウムに変わる。そして主人公は店のオウム相手に予約を入れてしまう。そのとき彼は騙されているのではない。店長は店長のまま、まさにオウムだったのだ。

のびやかな時間の中でこそ、人は再び、響きのある声を取り戻せるのだろう。まるでカーペンターズのように。

初出：『朝日新聞』２０１９年５月18日

本気の遊びで、言葉に魂を――町田康『湖畔の愛』

この世でいちばん大事なのは正直であることだ、と言われて否定する人はいない。だがどうだ。金持ちは力を振い、美人は得をし、きれいごとを口にする人で世の中は満ちている。けしからんではないか。九界湖の畔にたたずむリゾートホテルが舞台の本書で、町田康が導入するのは吉本新喜劇の形式だ。

たとえば雑誌ライターの赤岩は「多様な価値観を認め合う共生社会」なんて言葉を口にしながら、その実、自分の運さえ良くなればいいとばかり、隠された地元の神社を荒らそうとする。

彼女にとって言葉とは単なる道具だ。口当たりの良い言葉を吐く彼女のような人々に対抗するべく、様々な手法が駆使される。「カップル」は「カッポーレ」に横滑りし、「思考のつぶやき」が「壺焼き」に変換される。突然「pretty vacant な若い兄ちゃん」と、パンクロックの歌詞が英語で割り込む。

これはただの駄洒落ではない。お約束に満ちた退屈な言葉に真心を取り戻すための本気の遊びだ。その極北が客の太田である。言葉に絶望した彼は「言葉の意味というものをいったんすべて排除して、気持ちだけで喋ったらどうなるだろうか、と思った」。音と気持ちだけで意味のない言葉を話し続ける彼は、数々の苦難に出会う。だが、ホテルの従業員たちからまったくの無能だと思われていたスカ爺だけは、太田の言葉を受け止められる。

老人も青年もアウトローも、互いに突っ込み、どつき、笑いながら、ありのままでいることを認め合う。町田にとって吉本新喜劇は正直者のユートピアだ。そこでだけは正しい者が報われる。それは本書も同じだ。だからこそ、愛する女性を救おうとする吉良の言葉にならない「獣のように純一な祈り」は、龍神に聞き届けられる。そして赤岩にはしっかりとバチが当たるのだ。

本書の笑いの奥には、言葉に魂を取り戻そうとする町田の思いがある。そしてそれは我々の心を強く摑む。

初出：『朝日新聞』２０１８年5月19日

答は一つではない　無限の対話へ――與那覇潤『歴史がおわるまえに』『荒れ野の六十年』

突然心を病む。本を読めなくなる。どうして自分がこうなったのか。答えもないまま著者は病院に入る。

だが彼はそこで発見をする。たまたま病を得るという偶然で集まった人々が、互いの弱さへの共感に満ちたつながりを保っていたのだ。能力という強さで選ばれた者たちによる学問の世界では、著者はこんな「無私と高貴さ」を感じたことはなかった。

「私たちが偶然、ここでいっしょになったことにも意味があるんだ」という若い患者の言葉に著者は触発される。必然から生まれる意味は貧しい。生まれが豊かだから、能力が高いから、容姿が美しいから、自分がここにいるのは当然だ。こうした考え方からは、他人への共感は生まれない。

だが偶然からこそ豊かな意味が生まれ得るとしたら。たった今、目の前にいる人の痛みを精一杯想像してみる。自分よりふさわしい人なんてこの世にはたくさんいるだろう。それでも持っている知恵を振り絞って話す。

こうして立ち上がる意味が貴重なのは、自分と相手の違いを消し去らないからだ。互いの言葉を受け入れながら、欠けたところを補い合う。こうして決して一つの答えに行き着くことのない、無限の対話へと心は広がる。

『歴史がおわるまえに』では、こうした気づきは新たなものとして語られていた。しかし著者の思考はもともと偶然に対して開かれていたのではないか。『荒れ野の六十年』を読むとそう思う。

本書には様々な歴史家が登場する。たとえば網野善彦は、今の感覚とは大いに異なる過去の日本語に耳を傾け、そこに無縁といった思考を聞き取ることで、私たちの世界を豊穣なものにした。

そして内藤湖南は、未来の国家として中国を捉え直す。なにしろ宋代には貴族を滅ぼし、科挙という実力主義と職業選択の自由によって近代西洋にはるかに先んじていたのだから。けれども儒教という唯一の正しさが世界を覆うことで、意見の多様さが重んじられない傾向があったことも著者は付け加える。

中華的な国際秩序はどうか。琉球は薩摩に支配されながら、同時に清国に朝貢していた。ならばどちらが支配者なのか。薩摩は支配の事実を清国に隠す。だが清国は薩摩が隠していることを知っていて、あえて黙っている。

境界を画定するのが当然、という西洋的な思考では、こうした曖昧さは許容されない。しかしこうすることで国際紛争が避けられるなら、これはこれで進んだあり方ではないか。

著者の読みには、常に複数性への指向がある。答えはたった一つではない。そう考えることで、僕らは互いの弱さに寛容になれる。病気により歴史家としての與那覇は死んだ。そして偶然の思想家としての彼が生まれた。

初出：『朝日新聞』２０２０年2月22日

投げ返されたボール――川上未映子・村上春樹『みみずくは黄昏に飛びたつ』

奇跡的な書物である。

今まで僕は村上春樹のインタビューをたくさん読んできた。けれども、彼がこんなに正直に、楽しげに、わかりやすく創作の秘密を語っているものは見たことがない。彼にここまで心を開かせたのはもちろん、聞き手である川上未映子の力である。

なにより彼女がすごいのは、村上のどんなに小さなインタビューや短篇もきちんと読み込み、深く咀嚼し、しっかり記憶しているということだ。しかも相手が怒り出しそうなことも含めて、きちんと訊いている。これは並大抵のインタビュアーができることではない。彼女が村上の作品について、どれだけ分厚い時間を費やして考えてきたかがよくわかる。

そのことを感じた村上は、まさに家にいるようにくつろいで、ときに冗談や、二人の共通言語である関西弁も交えながら話す。そのとき、とても魅力的な村上春樹がそこにいる。本書が川上未映子・村上春樹著となっているのも当然だろう。なぜならこれは、インタビューという形式を通じて川上未映子が捉えた村上春樹論であり、村上という小説家が登場する一種の小説でもあるのだから。

本書に登場する村上の発言で何より印象的なのは、小説を書くという仕事への向かい合い方である。何より大事なのは、小説を書かない期間を取ることだ、と彼は言う。その間に様々なことを経験し、考え、それを記憶の抽斗に詰め込んでいく。するとゆっくりと無意識の中から、次の作品が現れてくる。そして今だ、という瞬間を直感的に摑んで書き始めるのだ。

だから締切りで仕事をしちゃいけない。あくまで大切なのは自発性である。でないと、何も湧き上がるものがないにも関わらず、ごまかして捻り出すようになってしまう。村上のように仕事ができている書き手が日本にいったい何人いるだろうか。もちろんこのやり方に辿り着くまで、彼はずいぶん闘ってきた。そのことだけでも彼を心底尊敬してしまう。

さて、小説が向こうからやってきたら、今度はそれを文章で摑む段階に入る。そのために村上は、毎日十枚のノルマを自分に課す。もちろん細かい描写や難しい記述は適当に書き飛ばす。そうやっていったん通して書いてから、じっくりと書き直していく。書き直しが十回で済めば少ないほうらしい。どれだけ勤勉なんだ。

なぜそんなに直すのか。村上にとって、磨き上げられた文体こそが小説の命だからだ。何度も書き直していくうちに、文章はミリ単位で正確性を増し、語られる内容もリアルになっていく。そのときに大事なのはあくまで直感だ。理屈やテーマに頼ると底の浅いものになってしまう。そういうものはすぐ読者に見抜かれ捨てられてしまうだろう。

この場合の理屈とは意識であり、直感とは無意識である。リアリズム小説という近代的な枠組みを使いながら、人類の無意識という、古代的でマジカルな領域に入っていくこと。この矛盾した課題を追求することが、説得力のある現代の物語を生む、というのが村上の信念である。まさに、現代文学には無意識が足りない、というわけだ。その批判はおそらく当たっている。

川上は言う。村上の作品は読者に「そこに行けば大事な場所に戻ることができる」と感じさせる、と。性別や年齢、国籍を超えて、世界中の多くの人々にそう思わせることができたからこそ、彼の小説は幅広く愛されているのだ。

と同時に、このことこそが川上の提出する、村上文学に対する二つの疑問にも通じている。それは彼の作品における女性の描かれ方の問題点と、直感を使うだけでなく、理屈で考えることの意義だ。村上の作品内で女性たちは女性としての役割を負わされるあまり、男性である主人公の犠牲になっているのではないか、という違和感を川上は彼に正面からぶつける。その問いに村上はもちろん、誠実に答えている。だが二人の議論はどう見ても噛み合ってはいない。

実はこの二人のずれこそが本書の白眉なのではないか。理屈を排除し直感に頼ることで得られるものは大きい。しかしそれだけでは、現代社会に女性として生きることの苦しみを捉えることはできない。そのためには、歴史や哲学も含めた粘り強い知的な作業が必要なのだ。だがそれは村上の言うように「僕の仕事じゃない」。そしてボールは彼の作品に魅せられてきた僕らに投げ返される。そう、次は僕らが語り始める番なのだ。

初出：『波』２０１７年6月号（新潮社）

#「記憶」について

自分を愛せるようになる手助け――リンドグレーン『長くつ下のピッピ』

幼稚園のころは秋田市に住んでいて、キリスト教系の幼稚園に通っていた。教室には低い棚があって、そこに絵本が並んでいたのをうっすら憶えている。だけどそれよりはっきり記憶にあるのは、毎週幼稚園で開かれていた日曜学校でもらう、イエス様が印刷されたカードだった。

困り顔のイエス様が祈りながら、なぜか湖の上を歩いている。ボートには、やっぱり困った顔の使徒たちもいた。「イエス様は神様だから水の上も歩けるのよ」と先生たちに言われても、ふーん、すごいんだと思うだけで、そうした超常的なイメージは僕の中では、テレビで見ていた戦隊ものやウルトラマンシリーズなどのSF作品と完全にごっちゃになっていたけど、それでも幼い心に少しずつ蓄積していった。だから今でも、東方の三博士が生まれたてのイエス様を見に来た場面などは克明に浮かんできて、僕の想像力の基礎を形作っている。

本格的に児童文学を読むようになったのは、小学校に上がって東京の小平市に引っ越してからだ。当時は近くに図書館がなかったから、母と僕と妹と三人並んで自転車を漕ぎながら、少し遠い場所にある小平市立図書館の本館に通った。ここは児童文学が充実していて、絵本があり、読み聞かせのコーナーもあり、小さい子がゴロゴロ遊んで回る場所もあって、僕にとっては天国みたいな場所だった。

そこで見出したのが、欧米の児童文学の世界だ。生まれて最初にキリスト教の教育を受けた僕にとって、農家や化け物が登場する古い日本の物語はあまりに異国情緒が強すぎた。父の実家は大分県の農家で、夏休みは親に連れられて何度も訪れたりしたが、ずっと街に住んでいる僕にとって、そこでの日本風な生活はあまり実感が湧かなかった。

けれども児童文学の世界は違った。ヨーロッパやアメリカの子供たちが語り合い、クッキーを食べ、紅茶を飲み、神に祈りを捧げている。まさに僕が知っている世界で、よほど親しみが湧いた。だから僕は六歳にして、周囲の日本に違和感を抱きながら、物語の中の世界によほど親しみを抱く、という人生を歩むことになる。

図書館の低めの、とはいえ子供の目からしたら十分に高い棚には、外国からやってきた児童文学がずらりと並んでいた。岩波書店や福音館のそうした本は大きくて重くて、挿絵がたくさんあった。だからずっしりとしたそれらを棚から取り出して開くと、一つの世界が急に目の前に開ける。その中に没頭しながら、幼い僕は言葉で綴られた世界をむさぼるように体験していった。

当時読んでいた本は、たとえばこんな感じだ。ロフティングの『ドリトル先生アフリカ行き』、ヴェルヌの『海底二万里』や『二年間の休暇』、サン＝テグジュペリ『星の王子さま』、ダールの『チョコレート工場の秘密』。こうして並んだ名前を眺めているだけで今でもわくわくしてくる。そしてまた、大人になっても大して本の好みは変わっていないんだな、と思う。遠い場所で思わぬ体験をした子供たちが成長する話や、生きることの悲しみや喜びを知り、人に共感することの意義を知る話。今はアメリカ文学を中心に研究しているが、精神の態度としては同じものが続いている。

さて、こうした本の中でも僕の中でいつも特別なものがある。それは、アストリッド・リンドグレーンの『長くつ下のピッピ』だ。どういうわけか小学生の僕はこの本が大好きで、何度も何度も読んだ。これにはＮＨＫでやっていた実写版の番組もあって、それも熱心に見た。だからいまだに主題歌を思い出せる。でも記憶は徐々に薄れていって、今ではそばかすの少女の姿しか憶えていない。

だから今回、ものすごく久しぶりにこの本を読み返してみた。前は大判のハードカバーだったけど、今回は小ぶりな岩波少年文庫版だ。それは奇妙な体験だった。お話の内容やテーマ、構成はまったく覚えていないのに、物語の手触り、というか、ピッピという強烈な女の子に出会った感触だけは確かに自分の中に残っていた。なんと言うか、懐かしい場所に久しぶり戻ってさまようちに、右に曲がると何があるか、みたいなことが急に甦ってくるような感覚だった。ものすごく古いのに、同時にとても新しい読書、とでも言おうか。

舞台はスウェーデンの村で、ピッピという名前の九歳の少女が突然現れる。家族は無く、代わりに子猿のニルソン氏と馬を連れて一軒家に一人で住んでいる。なぜか大金持ちで金貨を大量に持っていて、世界中のことを知っているが、スウェーデンの常識はまったくわからない。隣の家に住むトミーとアンニカはピッピと付き合いながらいつも驚いてばかりだ。

ピッピは強烈に独特で、いつも遊びを発明しては、アフリカやインドなどの本当か嘘かわからない話をしてくれる。小さい女の子なのにものすごく強くて、サーカスの力持ちにも余裕で勝つし、泥棒や警官もまったく手を出せない。学校やお茶の会ではおしゃべりと行儀の悪さで大失敗するが、火事で取り残された子供がいれば、家の近くに生えている木から窓まで板を渡して器用に助けに行く。超人的な能力を持ち、いつも明るくて、親の言うことも先生の言うことも聞かない。まさに子供が望む全部を持っていて、でも倫理感もある。

ピッピで好きなのは独特の遊び感覚だ。たとえば歩いていくと、体の向きを変えずに、ちょうど自分が踏んだあとを後ろ向きに戻ってくる。糸巻を拾えば、シャボン玉も吹けるしネックレスにもなる、と喜ぶ。クッキーを作るときは床一杯にたねを伸ばす。絵を書けば紙の上では足りず、床一面に描きまくる。暮らしの一つ一つが全部遊びで、全部驚きがある。そしてお行儀のいいトミーとアンニカはピッピの行動を見るたびに驚き、でも内心ものすごく喜んでいる。そして読者も喜んでいる。それは心の中で「こうすべき」という決め付けが外れていき、そのたびに元気をもらえるからだ。

決め付けはこれだけじゃない。女性より男性の方が強いし、子供より大人の方が理性がある、という思い込みもそうだ。まだ幼いピッピは誰よりも力が強い。だから泥棒たちがやってきて彼女の金貨を全部奪おうとしても、二人まとめてやっつけてしまう。しかも夜通し踊らせておいて、最後に一枚ずつ金貨を渡し、「これはね、あんたたちが、ちゃんとかせいだお金よ」と言う。ただではお金はもらえない。ちゃんと人が喜ぶ仕事をしなければだめだ、というピッピの言っていることはしごく真っ当で、だからこそ子供から大人に向かってこの言葉が放たれると、強い力を発揮する。

外国の存在もそうだ。ここスウェーデンでは嘘をつくのはいけないことだ、でもアフリカのベルギー領コンゴでは逆に、本当のことを言う人は一人もいないとピッピは言う。あるいは動物より人間のほうが価値があるのは当たり前だとスウェーデンの人々は思っている。しかしインドでは違う。蛇が「まいにち、インド人を五人たべて、食後のデザートには、ちいさな子をふたりたべるのよ」。こういう一節を読むと、昔の児童文学は差別的だ、と思う人もいるかもしれない。けれどもこう言っているピッピだって、アフリカやインドがこんなふうではない、とちゃんとわかって語っていることが重要だ。

つまりピッピの言う外国は架空の世界で、そこではヨーロッパの常識があべこべになる。そうしながらピッピは暗に問うているのだ。ヨーロッパでは、嘘を言うのは罪だと言いながら、いつも嘘をついている大人たちがいる。あるいは、動物より人間が大切だと言いながら、無制限に動物や植物の命を奪い続ける社会がある。そしてそうした世の中が息苦しいとしたら、別の世界を想像することには意味がある。だって、そうでもしなければ、僕たちはいつも自分を正当化したまま、見えない暴力を受け入れ続けることになってしまうから。

いやいや、ピッピはそこまでは考えていないよ。確かにそれはそうだ。しかしこの『長くつ下のピッピ』という作品が問いかけているものの射程はそうした遠くまで届いていて、だからクッツェーやトカルチュクなど、現代を代表する書き手たちの作品とも共振している。だから児童文学は怖いのだ。なぜなら、人々の無意識を作り、何十年もかけて世界を作り替える力を持っているからだ。

僕が好きなのはこのシーンだ。ピッピとトミー、アンニカがピクニックに行く。トミーが座る場所を探すと、ピッピは反論する。「「でもね、ここだと、日あたりがよくなくて、そばかすがあまりふえないわ。」と、ピッピはいいました。「わたし、そばかすって、きれいだとおもってるの。」」。そばかすは多ければ多いほどいい、と彼女が一言いうだけで、どれだけの数の子供が世界中で救われることか。そして人が自分を愛せるようになる手助けをすることは絶対的に正しい。

長い年月を経てこの作品を読み返してみたことで、『長くつ下のピッピ』という作品が僕の基礎的な部分を作っていることを実感できた。何より、この作品を読んでいた当時の僕がピッピのことを、女の子とも男の子とも思っていなかったのを思い出せただけでも収穫だった。確かにこの本では、男女差より個人差に光が当てられていて、だからこそ人を性別ではなく、ただの人間として見る目を教えてくれている。そのことが限りなくありがたい。

初出：『図書』２０２０年12月号（岩波書店）

フェアであること――三浦哲哉『LAフード・ダイアリー』

最初に一本のコカコーラがある。福島県の郡山市で育った子供時代、三浦の父はコカコーラのボトリング工場に勤めていて、そのせいで、彼は家にある自動販売機の清涼飲料水をいくらでも飲めた。もちろん家では田舎風な素朴な料理が出たが、一方で父親の好みに合わせて、インスタントラーメンもハンバーガーも食べていた。そして子供時代の三浦は、むしろそうした加工食品に強い魅力を感じていた。やがて大学教師になり一年の休暇をもらった彼はロサンゼルスを目指す。なぜか。子供時代に自分を身体の奥底から魅了したアメリカ的なるものに直面したかったからだ。

もちろん彼は今ではそうしたインスタント的な食品が様々な批判を受けていることを知っている。それでも彼は単純に否定はしない。むしろ歴史を掘り下げながらこう語る。マクドナルドはカリフォルニアのサンバーナディーノの町で生まれた。当時ファストフードは未来の食というイメージをまとっており、ロゴマークの流線型スタイルは未来的だと思われていた。誰も彼もが自動車で動き回る都市の中、ファストフードは移動しながら食べるのに最も適した形に進化した食事だったのだ。もちろん、世界中どこへ行っても同じという画一性はときに単調さにつながってしまう。しかしこの単調さすら三浦は否定しない。むしろ、異物感が少ないというのはそれだけ安全だということではないか。

それでは三浦はファストフードばかりを愛するのかと言えば、そうではない。彼はメキシコ料理こそがここの風土の味だということに気づく。十九世紀半ば、メキシコの一部だったカリフォルニアは米墨戦争によってアメリカ合衆国に併合された。それでもメキシコ人たちは残り、ということはメキシコの文化や言葉も残った。それが古代から伝わるメキシコ料理なのだ。粉に挽いたとうもろこしを石灰水処理して作られたトルティーヤに包まれたタコスは強烈な食の喜びを与えてくれる。彼は様々な名店に通い、伝統を踏まえながらも革新的な展開を果たしている地元のメキシコ料理の数々を紹介してくれる。

ロサンゼルスにあるのはメキシコ料理だけではない。膨大な数の多様な移民たちがひしめき合うこの街では、日本料理すらエスニック料理の一つだ。日本にいるとき、三浦は日本料理には季節に基づいた旬という概念が欠かせない、と思い込んでいた。だからこそ、彼はロサンゼルスに来て当惑する。一年中ほぼ季節が変わらず、正月でも海で泳げるこの街では、そもそも旬など成り立たない。そして旬なしの日本料理とは一体何なのか。その疑問は近所に住む人々に日本料理を振る舞ったときに最も大きくなる。彼らを見ていると様々な種類の魚を味わってみたいという欲望が感じられない。マグロやサーモンが単体でおいしければいいと思い、ほっておくとそればかり食べている。おまけにユダヤ人だからウナギやタコなどコーシャーで許されていないものは入れないでくれと言われる。季節感がないコーシャーの寿司とは何なのか。ここでも三浦はそのカリフォルニアの寿司を否定しない。むしろ新たな展開として受け入れていく。

こうした、季節感ではなく、むしろ多様な住民による文化的多様性によって食のバリエーションが作られているという状況をどう考えればいいのか。彼はジョナサン・ゴールドと言う、ロサンゼルスを代表する料理評論家の著作をもとに考える。普通の殺風景な小さなモールの中に強烈な異文化を感じさせるエスニック料理店がはめ込まれている。確かにそうした場所はときに違和感や嫌悪感すら抱かせるかもしれない。しかしそれでも、そうした存在があること自体がロサンゼルスの恵みなのだ、とゴールドは言う。この著作で僕が気に入ったのはゴールドのこのエピソードだ。彼はある台湾料理屋に行く。どうしても好きになれないのに、あるいはむしろ好きになれないからこそ何度も通い、そこに何があるのかを見出そうとする。しまいにはオーナーの娘との結婚話すら持ち上がる。「嫌いだがその店に通い、あるいは、嫌いだからこそリスペクトする。きわめて逆説的なこの姿勢を貴重だと思う」。感覚的にわからないものを尊敬する姿勢。それこそアメリカの良さの芯にあるものではないかと三浦は考える。

その良さを一言で言えば、対話の姿勢だ。様々な場所や文化から来た相手に対して共通の知識も価値観も前提とせず、だからこそ自分が持ってるものをすべてさらけ出して、どうにか対話を成立させようとする。そしてそうした理解しきれない他人と協力しながら共同体を立ち上げる。こうした姿勢を三浦はフェアネスと呼ぶ。そしてそのフェアネスの上にこそアメリカ合衆国が成り立っていることを、例えば子供のPTAなどを介した身近な活動からしみじみと感じる。

かつてフランスの思想家アレクシス・ド・トクヴィルは三浦とまったく同じことを数年に渡る長い旅行の間に見出した。どうして優れたエリートが運営しているフランスはうまくいかず、そうしたエリートのいないアメリカ合衆国はうまく運営されているのか。その答えを解くヒントを彼は普通の人たちの連帯に見る。エリートがやってくれないのであれば、普通の人たちが自分たちの持てる能力を最大限に発揮しながら共同体を運営するしかない。そうやって力をつけた人々がやがて州や国を運営するようになれば、総合ではとても大きな力を発揮する。

反対に三浦が批判するのは、例えば権威主義だ。当然これぐらい知っているだろう、という前提を押し付け、目上の相手の気持ちを無言の圧力で忖度させる。日本でよく見るこうした姿勢によって対話は殺され、人々の力は削がれてしまう。あるいは純粋さを求める気持ちだ。画一的なファストフードは悪い、多様なスローフードは良い、といったん思い込んでしまえば、ファストフードの良さにもスローフードの問題点にも目をつぶることになる。

こうした思索を展開する上で、三浦が常に食べ物やフィルムに塗られた牛のゼラチンといった具体的なモノに注目するのが興味深い。これらは文化や歴史を背負っていて、しかも我々の精神の内側と外側に同時に存在する。だから我々の視野からこぼれ落ちがちなものを見せてくれる。こうしたモノに学ぶという三浦の姿勢はとても倫理的だ。

あらゆる決めつけを嫌う三浦の思考は常にずれ続ける。しかも具体的な体験や読書、抽象的な思索を縦横に行き来する。だから一言でまとめるのは難しい。そしてこうした多様さをそのまま見せてくれる本作こそが、まるごと今の表現なのだ、と僕は感じた。

初出：『新潮』２０２１年6月号（新潮社）

死んでも「さえない日常」にほろり
――エトガル・ケレット『クネレルのサマーキャンプ』

人は死んだらどうなるか。正解は、今とそっくり同じで、少しだけさえない世界に行く。少なくとも本書の表題作ではそうだ。自殺したハイムは、気づけば別世界にいる。神に管理されているここでは、どうやら自殺者しかいないらしい。

彼はピッツェリア・カミカゼで店員として働き、夜は友人のアリとバーでうだうだ過ごす。美女はたくさんいるものの、せっせとナンパしても誰もなびいてくれない。

唯一の心残りは、下界に残してきた恋人エルガだ。ある日、ひょんなことから元ルームメイト（もちろん死んでいる）と再会したハイムは、なんとエルガも自殺したことを知る。一体どこにいるのか。アリのポンコツ車に乗り込み、東に向かって二人で旅立つ。

森で昼寝しているクネレル（実は天使）を轢きそうになって、そのまま彼の家に住み着いたり、人々の救済を約束するメシア王（もちろん誰も救われない）に出会ったり、旅は波瀾万丈の展開を遂げる。ようやくエルガを見付けるも、その瞬間ハイムはがっかりなオチに気づく。

ダメ主人公が次々やらかすという展開は、ノーベル賞作家シンガーからマラマッドまでお手のものだ。現代のイスラエルを代表する作家にして映画監督のケレットもまた、ユダヤ文学の最良の系譜の中にいる。笑えるけどちょっと悲しい、そして人生訓はたっぷりというやつだ。

しかしもちろん現代風の工夫もある。アラブ人のバーテンは顔中つぎはぎだらけで、聞けば自爆攻撃をしたという。下界ではお互い敵だったが、ここでは哀れなアル中同士だ。あるいはアリの実家に行けば、親父さんが古いジョークを披露してくれる。テレビをつければ、自分たちがどう死んだかを面白おかしくしゃべる番組をやっている。

すべてが凡庸で、抜けていて、でも温かい。もちろん政治的に厳しい情況への言及もある。しかしそれでも人は生きていて、人を愛している。本書はそれを教えてくれる。

初出：『朝日新聞』２０１９年2月9日

過去からよみがえる新たな表現——ダニエル・ヘラー＝ローゼン『エコラリアス』

大学時代の友人と再会した。二十年前にアメリカに移住した彼と話すのは久しぶりだ。だが懐かしく語り合ううちに、ある違和感に気づいた。彼の言葉遣いもリズムも二十歳のころのままなのだ。まるで大学時代の自分が過去からよみがえり目の前にいるようだった。

エコラリアスとは、過去から谺する言語のことだ。過去の日本語は僕の中で死に、現在の言葉に生まれ変わっている。でも僕はその死を知らぬまま、ずっと同じ言語を話していると思い込んできた。だが友人の言葉は僕の忘却を暴く。

こうした忘却こそが言語の本質である、とヘラー＝ローゼンは言う。彼は膨大な知識を駆使しながら、忘れることとの意義について語る。ラテン語は誰にも気づかれぬままイタリア語に変化し、もはや平安時代の日本語を話す者など誰もいない。人々は集団的に言葉を忘れ去り、その隙間を新たな表現が埋める。「時として、記憶が破壊的であるのと同じくらい忘却は生産的である」。

しかしことはそう単純ではない。死んだ過去の言葉は亡霊として回帰する。消えたケルト語はラテン語を変化させてフランス語を生んだ。井原西鶴を読めば、現代日本語にも江戸時代の言い回しが多く生き残っていることがわかる。とすれば、僕らは言葉を話すことで、膨大な死者たちと常に語り合っているのだ。

けれども、トラウマ的な記憶は一度死ぬことなくそのまま残ってしまう。だから幼い日に見た虐殺の記憶を、ノーベル文学賞受賞者の思想家カネッティは忘れられず、両親の母語であるラディーノ語で思い出し続ける。その記憶を彼は、他の言語には翻訳できない。多言語を自由に駆使できたのに、だ。

そうした、直視することの難しい記憶の周囲に、瘡蓋のように物語が生じる。だからこそ彼は生涯、語り止めなかったのだろう。言語論から人間の精神の成り立ちや、物語の発生にまで洞察が拡がる好著である。

初出：『朝日新聞』２０１８年８月25日

自分の中の「他者」と付き合う──伊藤亜紗『記憶する体』

起きられない。とにかく痛い。今まで使っていた体が突然、意思に従わなくなる。そうした体とどう付き合えばいいのか。本書で伊藤は考える。

登場する人物は様々だ。そしてその多くが、体の機能や部位を中途で失っている。まずやって来るのは絶望だ。だが、生きることを選んだとき、彼らの探求は始まる。それでもできることは何か。心をどう持っていけばいいのか。

たとえばバイク事故で片腕の神経を切断した森さんは「人間をやめる」ことにする。なぜこんなことになったのか。他の人にできることがなぜできないのか。普通に生きるとは、そうしたことを考えて生きるということだ。

だが山にこもった彼は、禅に学びながら「なぜ」を問う心の動きを止める。そして手負いの動物のように、「ただ生きる」ことにする。自分をコントロールしない。他人と比較しない。辛いとも辛くないとも考えない。そうした態度を「セルフセンター」と彼は呼ぶ。

あるいは、神経の難病で常に体が痺れているチョンさんはどうか。何かをしようと考えすぎるとできなくなる。だからなるべく意識しない。そうやって、自分の体の予測できない反応を観察しながら、少しずつ体の使い方を発明していく。彼は言う。「できないことを考えてふさぎこむんじゃなくて、今できることは何なんだろうと考えたら、いろいろ物事が動き出して、外にも出られるようになりました」。

他人は思い通りにならないことは僕らも知っている。でも、自分だって思い通りにはならない。意欲はなかなか湧かないし、記憶は勝手に甦る。面倒くさいことこの上ないけど、この体に生まれてきた以上、どうにか付き合っていくしかない。

だからよく観察する。お願いする。少しでもできたら大いに褒める。なんだ、これって他人との付き合い方と一緒じゃないか。人に寛容になるには、まず自分に寛容になること。この本を読んで納得できた。

初出：『朝日新聞』２０１９年11月16日

非人情こそ人間的という逆転――吉村萬壱『前世は兎』

人間とは、なんと奇妙な生き物なのか。表題作の主人公は動物目線でしみじみ思う。彼女の前世はもちろん兎で、人として生まれても違和感は消えない。だから、テーブルを見れば余計なものだと考え、自分にも名前があることに苦痛を抱く。それだけではない。膨大な数の言葉がびっしり並んだ百科事典に薄気味の悪さを覚える。

兎は世界を一つの全体として経験している。なのにどうして人間は言葉で摑もうとするのか。しかも取り逃がすだけなのに。彼女は兎の本能に従い、早い時期から膨大な回数のセックスをする。そして担任の教師など、彼女に群がる男たちは、そこに愛という観念を読み取ろうとして破滅する。

親にしてもそうだ。勘当してもなお、風俗産業で生き延びる彼女が気にくわない。だが彼女は言う。「動物の世界ではセックス出来る個体が親の庇護を受ける事などありません」。そして彼女の言葉が生き物としての真理だとしたら、人間とはなんと狂った動物なのか。

吉村は徹底して非人情の立場から、人間の姿を描いてきた。だから、『臣女』では巨大化していく妻の下の世話が延々と語られる。『回遊人』では、下卑た欲望を満たすべく、主人公は何度も生まれ変わる。なぜ吉村はそうしたものを書くのか。立派な言葉に満たされたこの社会が、あまりに欺瞞的だからだ。

だから、謎の汚染原に侵された世界で「ランナー」の登場人物たちは、全体のために死ね、という命令を拒否する。「宗教」の主人公は、誰に理解されずとも、自分の気持ちよさを追求し続ける。なぜか。体の感覚に根差した動物的な視線でしか、この人間社会を批判できないからだ。そしてそのとき、非人情こそが最も人間的だ、という逆転が起こる。

私的な領域について語りながら、現代社会と正面からぶつかる。こうした文学の毒を保ち続ける吉村は、今の日本では希有な書き手だ。その危険な作品から学ぶことは多い。

初出：『朝日新聞』２０１８年12月22日

楽器や書物から聞こえる死者の声――小川洋子『小箱』『約束された移動』

死者たちは生きている。長篇『小箱』で、語り手は幼稚園に住んでいる。いや、ここにはもう園児も教師もいない。建物も備品もそのままだが、ここにいるのは彼女だけだ。ならば孤独なのか。そうではない。ガラスの箱がずらりと並んでいて、その中には人形たちがいる。この町で子供たちが亡くなると、その髪の毛は人形たちの頭に美しく植えられる。残された家族は、我が子の世話をするためにここに通う。

人形も成長する。「靴を履いて歩く練習をし、九九や字を覚え、お姫様のドレスを好きな色に塗って遊んでいる」。やがて学校を卒業し、結婚もするだろう。そのたびに家族は小箱を掃除し、人形が求めるものを加え、ともに儀式を行う。

子供たちの声が聞きたいときにはどうするか。残された細い髪を弦として、とても小さな楽器を作る。それを耳に吊して丘の上で風を受けると、たった一人にしか聞こえない音楽が奏でられる。

子供たちの身体の欠片が鳴らす音。語り手の従姉もまた、かつて男の子を亡くしていた。息子の髪で作った竪琴は、従姉の耳から伝わってくる体温で震え、風もないのにひっそりとした音を立てる。

小川は東北を旅していて、寺に奉納されたガラスケースの列を見たという。その中には花嫁や花婿の人形がいた。亡くなった子供たちも、あの世ではそれぞれの人生を生き、様々な歓びを味わっている。そうした家族の確信に触れた小川の中で、この物語が育っていった。

ただ耳を澄ませば、そこには確かに彼らがいる。そうした静かな祈りが、この作品には息づいている。

死者の声が込められているのは楽器だけではない。書物もまたそうだ。『小箱』の従姉は、既に亡くなった書き手の作品しか読まなかった。短篇集『約束された移動』の表題作でも、人は本を介してつながる。

語り手はホテルの客室係だ。ここのスイートルームには、千冊もの本が詰まった本棚がある。圧倒的な美貌を誇る映画俳優Bも、ときたまここを利用していた。

ある日、掃除に入った語り手は微妙な変化に気づく。なんだろう。部屋を詳細に調べた彼女は、本棚にわずかな隙間を見つける。彼女は、部屋を撮った写真を詳細に調べ、それがガルシア＝マルケスの短篇集であることを突き止める。

Bが来る度に本は無くなる。語り手は必ず同じ本を買い、彼の映画を繰り返し見る。こうして何年か経つうちに、彼の心を内側から感じとれるようになる。

俳優としての絶頂を迎え、やがて落ちていくB。だが彼は常に、本に封じ込められた死者たちの言葉に鼓舞されていた。彼の孤独な歩みに、直接は一度も会ったことのない語り手がそっと寄り添う。その優しさが温かい。

初出：『朝日新聞』2019年12月21日

不意に、偶然訪れる大切なもの――町田康『しらふで生きる』『記憶の盆をどり』

クリスマスの日、突然「霊的な訳のわからないもの」に襲われた町田康は酒を止める。もちろん、それまで三十年も酒浸りだった心と体は暴れ狂う。毎秒酒のことを考えてしまう。体は勝手にコンビニに走ろうとする。

それでも彼は酒を飲まない。なぜなら、理屈ではなく感覚で、酒を止めるときが来たことを確かに知っているからだ。代わりに、彼は言うことを聞かない自己と対話しようとする。たとえば、今までそもそもなぜ酒を飲んでいたのか。それは苦痛ばかりの人生に楽しみを見出すためだ。

しかし本来人生は楽しいものである、という考え自体、根拠がないものではないか。むしろ本来、人生は苦の連続であり、楽しみは「不意に、偶然、訪れるもの」で、人はそうした瞬間を慈しむことしかできないのでは。

だがこうした、苦の細道をとぼとぼと歩くみすぼらしい自分、という生の実相から、現代の我々は目を逸らしている。そして酒を飲み、自らの手で歓びを手に入れられると思い込む。だが行き着く先は心身の破綻でしかない。

ここまで来て、町田は本書で、現代社会全体について考えていることがわかる。ある人にとっては酒であり、別の人にとってはインターネットだ。あるいは没頭しすぎた仕事だ。

何にせよ、我々は生の惨めさが恐くて、死すべき運命が恐くて、何かにハマり込むことで現実から目を逸らしている。言い換えれば、現代人は全員、何かの中毒であり、そのことで自他を破壊しながら、幸福の幻をどうにか維持しているのだ。

したがって本書は決して禁酒の本ではなく、殺伐とした現代の向こう側に辿り着くための試みとなっている。そしてその点において、町田康は生涯パンクを貫いていると言える。なぜなら、あまりに金儲けばかりでつまらなくなったロックを再生させることこそ、パンクの精神ではなかったか。

では、向こう側にはどんな風景が広がっているのか。酒の強烈な刺激から離れ、徐々に暮らしの細部に目が行くようになった町田は、今までずっとそこにあったはずの美を発見する。「それは草が生えたとか、雨の匂いとか、人のふとした表情の中にある愛や哀しみといった小さなものである」。そのとき彼は、自然に包まれた子供に戻っている。

短篇集『記憶の盆をどり』でも、重要なものは突然与えられる。短篇「エゲバムヤジ」では、近所の女に急に醜い動物を押しつけられた男が愛を知る。そして短篇「山羊経」では、十七年前に亡くなった父が、大日如来に変化して現れる。

必要なものは不意に訪れる。そしてひたすらその意味を見い出そうとすることこそが人生なのだ。こうした敬虔な謙虚さこそが、町田文学の核を形作っている。

初出：『朝日新聞』２０２０年１月18日

埋もれた言葉の宝　掘り当てる――福嶋亮大『百年の批評』

現代日本の言葉は貧しい。単なるコミュニケーションの道具であるうちはまだいい。一方で刺激を求めて過激化した言葉は相手の心を傷つけ、人々を分断していく。それでは言葉の別のあり方はないのか。ある、と福嶋は答える。

日本文学において、言葉とはもともと呪術的なものだった。世界を彩り、心の内の感情を歌い、死者の魂を慰める。そのとき世界は、目の前にあるだけのものではない。むしろ夢や異界も含めた広大な領域にこそ、そうした言葉は鳴り響いていたはずだ。それは『太平記』や『源氏物語』を見ればよくわかる。

ならば福嶋は近代を捨てて、前近代に帰れと言うのだろうか。そうではない。そもそも近代を西洋的なものと見なし、前近代を日本に結びつけるという単純な二分法は歴史を忘れている。

ここで中国文学者でもある福嶋はもう一つの近代を導入する。「明治の西洋化に先立って、日本には中国化(近世化)という意味での『近代化』が」あった。ならば今目の前にあるものだけが近代のあり方ではない。むしろ僕らは日本、西洋、中国という三つの場所を起点にしながら、近代を拡張していけるはずだ。

こうして福嶋は、もう一つの近代へのヒントを様々な書き手のテクストに探す。大江健三郎について語りながら、我々にはまだまだ、「幻覚や予言や象徴」も現実だとするロマン主義が足りないと言う。山崎正和のアメリカ滞在記に登場する、脛に傷持つ移民たちのコミュニティに、自己を批評的に見ながら他者に寛容であろうとする、ためらいがちの多文化主義を読み取る。

福嶋には、自分とは政治的立場が違うから読まない、といった硬直した姿勢は一切ない。むしろ、今やあまり読まれないような作品を見つけて、その中に貴重なアイディアを、まるで宝探しのように掘り当てる。こうした彼の反時代的な姿勢こそが、次の時代を切り開く力を持つ。

初出:『朝日新聞』2019年7月27日

あとがき

朝日新聞の書評委員会は夢のような場所だった。何しろ青春時代に憧れた人たちが、僕と同じ大きな楕円のテーブルに向かってずらりと並んでいるのだ。月二回あるこの会議に夕方に着くと、まずは別室に通される。会議室のような場所には机がロの字型に並べてあり、その上にこの二週間で出た膨大な数の本の中から、選ばれた数百冊が並んでいる。書評委員たちはそれを一冊ずつ手に取り、目次を見たり、一部を読んだりして、自分が書評したい本かどうかを悩む。そして手持ちのボードに挟んである一覧表を見て、選んだ本の名前の横に印をつける。すごく書評したい、書評したい、興味はある、の三段階だったと思う。

こうして今日来た全員が印を付け終わったところで、お弁当を食べながらのセリに突入する。やり方は単純で、司会者が一冊ずつ本を取り上げ、これを書評したい人はいますか、と問いかける。そして手を上げた人の中から、誰が担当するのが最もふさわしいかを決めていくのだ。

書評委員は偉い人ばかりで、最初はけっこうビビってしまった。たとえば柄谷行人さんがいた。僕が金沢で高校生だったとき、生まれて初めてお小遣いでハードカバーの本を買ったのが柄谷行人さんの『批評とポストモダン』だった。香林坊の１０９の地下にある書店で購入したのだが、そのときカウンターの店員さんが、「柄谷さんの本は装丁が真っ白なものが多いですよね」と僕に言ったのを覚えている。多いも何も、初めて買う本だったからよくわからなくて、ただ「はい」と答えた。

それから横尾忠則さんだ。大学生になってからは文学に加えて、禅やニューエイジにも興味が出てきて、横尾さんの著作にハマった。書店で入手できるやつを一通り全部読み、それでも足りず、神田の古本屋を片っ端から歩き回って、お小遣いで買える範囲の絶版本を集めまくった。そして今、なんとその横尾さんも目の前にいるのだ。ここまで奇跡が続き過ぎると、かえって必然なような気がしてきてしまう。

とはいえ、人間とは図々しいもので、最初はビビっていても、何度か続くと日常になる。そして、卓越した能力と高い社会的地位以外は皆さん、けっこう普通の人たちで、だから、会議の合間や、終わったあとで毎回開催される打ち上げで、何気ない会話をするのは楽しかった。

たとえば長谷川眞理子さんだ。せっかく長谷川さんとしゃべるのに、僕は科学とか進化論とかはまったくわからないので、昔の大学の世界の話や日々の暮らしの話をしていた。特に好きだったのはこのエピソードだ。親も自分も年を取ってくる。そうすると、当然ながら飼い犬もまた年を取る。というわけで、だんだんと足腰が立たなくなってきた。それでも散歩には行かなくちゃならない。そこで長谷川さんはどうしたか。なんと専門の業者に頼んで、犬用の車椅子を作ってもらったのだ。犬は体の後ろ半分をその車椅子に乗せる。すると前足の力だけでなんとか進んでいける。「本当にそういう業者がいるのよ」と長谷川さんは真顔で言う。

あるいは柄谷さんは、いつも自分で持ち込んだ質素なお弁当を食べていた。野菜と鶏のササミ中心で、ほとんどボディビルダーの食事である。もともとコレステロールが上がりやすい体質だと思っていたけど、誤解だった。こうやって食事に気をつけたら、コレステロールがどんどん落ちてきた。長生きするためにはこれぐらいやらないと、と柄谷さんは言う。せっかく世界的な思想家が目の前にいるのに、僕は難しい話は一切しなかった自信がある。

作家でシンガーソングライターの寺尾紗穂さんとたくさんお話しさせていただいたのも良かった。彼女の話にはいつも不思議な深みがある。ある日、渋谷駅の山手線から井の頭線に向かう渡り廊下で彼女は、ホームレスのおじいさんを見た。うずくまる彼を無視して歩行者たちは通り過ぎる。でも寺尾さんは無視しきれなくて、彼に声をかけた。そして、必要だったらホームレスの支援をしている団体や役所につなぎますよ、と言ってみた。するとおじいさんはただ、ぽろぽろと涙を流し始めた、と言う。そのときのおじいさんの気持ち、彼の過ごしてきた人生、そして寺尾さんの優しさが、聞いている僕の心にも直接入ってきた。

出口治明さんにもずいぶん優しくしていただいた。いきなり全員に名刺を配って歩くし、聞けば立命館アジア太平洋大学の学長だと言うし、最初はなんだかすごく硬い人なのかなと思った。でも話してみたら全然違っていた。なにより朗らかで、人当たりがよく、でも内側には熱い正義感や情熱を秘めた人だ、とわかってきたのだ。

何かのきっかけで、アダム・スミスの『国富論』の話になったときのことを覚えている。スミスはこう言っている。都会の工場で働いていると、決まりきった生活の中でものを考えなくなり、結局は成長が止まってしまう。だが農家は常に様々なことを生涯、工夫し続けるので、最後には農家のほうが能力が上になる。この話をすると、出口さんは大いに喜んでくれた。

確かに出口さんの人生自体がアダム・スミスの農家みたいだ。何歳だからこれをすべき、なんて考えは出口さんにはない。もう少しで日本生命を退職、というところでライフネット生命を起業し、大きな会社に育て上げたところで今度は大学の学長になる。しかも大学は大分県の別府にあり、多いときにはなんと、東京と大分を一日に二往復したりする。もう七〇代なのに。まさに出口さんは常に挑戦し、成長し続けているのだ。こんな生き方もあるんだ、と僕は感慨深かった。

あるとき、有楽町であった寺尾紗穂さんのコンサートに書評委員何人かで行ったことがある。そのあとお茶をすることになったのだが、遅い時間にここらで開いている喫茶店なんて誰も知らない。じゃあ帝国ホテルのティールームに行きましょう、ということで話がまとまった。なんでも日本生命の時代、出口さんはこのティールームでよく時間をつぶしていたそうだ。

それで、出口さんと作家の諸田玲子さん、そして僕の三人で、夜のデートということになった。ずいぶんたくさんの本を読んでいらっしゃいますね、と僕が出口さんに言うと、いや自分は元々大蔵省の担当で、待ち時間がいっぱいあったから、暇つぶしで読んでいただけですよ、と謙遜なさる。その何気ない言い方がいちいちかっこいい。

そして、そのうち別府に遊びに来てくださいよ、と誘ってくださった。それが二〇一九年の年末で、結局、日程が合わなくて僕は行けなかった。そのまま朝日新聞の書評委員を退任し、出口さんと定期的に会う機会も無くなった。しかも春からはコロナも本格化して、そもそもほとんど誰とも会わない日々に突入した。でもときどき、出口さんのことは思い出していた。約束を果たせていないのがどうにも気になっていたのだ。

さて時は流れ、二〇二二年の夏に、何気なく入った本屋の店頭で、僕の目はある本の帯に吸いつけられた。なんと、あの出口さんが車椅子に乗っているのだ。どうして。それが『復活への底力』で、すぐさまその本を僕は読み通した。なんと出口さんは、二〇二一年の初頭に脳内出血で倒れていたのだ。

本には、誰も復活は無理だと考えるような状態から、出口さんがどうやって学長職に復帰したのかが綴ってあった。もちろん、一つ一つのリハビリの大変さは想像を絶する。けれども、出口さんはあの飄々とした感じで、歩行訓練も発話訓練もこなしていく。こんな状態では無理だ、などと絶望することなどなく、一つ一つの課題をどう乗り越えられるかを考え、きちんとミリ単位で対処しながら、状況を着実に変える。

リハビリのために歴史の問題集を解きまくるところなんて、僕は読んでいて、不謹慎にも笑ってしまった。ああ、いかにも出口さんらしいな、と思ったりして。あんなに長身で颯爽としていた出口さんが車椅子なんて、と最初はショックだったけど、出口さんのかっこよさは相変わらずだった。今の状況をしっかりと正面から受け止め、それに全力で立ち向かうこと。人生にはそれしかなくて、その単純かつ当たり前のことをやり通している出口さんを心底尊敬した。

さて、本書は、朝日新聞に連載した書評を中心に、ここ五年ほど様々な媒体に書いてきた文章を集めている。長さも対象も多岐に渡っているものの、言っていることはほとんど同じだ。今回読み返してみて、そのことに驚いた。一言で言えばこうである。人生におけるままならないものとどう付き合うか。

人間関係も、自分の身体も、お酒やタバコといった薬物も、僕らは何一つ思いどおりにはできない。若いころのように、一方的な頑張りでねじ伏せようとしても、なんら解決にはならないのだ。でも、こうしたにっちもさっちもいかない袋小路こそが恵みなのではないだろうか。

　コントロールしようとする自分とコントロールされる相手、という対立を超えて、この状況を学びの機会として捉え直すにはどうしたらいいのか。もちろん、相手の話を否定せず、ひたすら耳を傾ける、という柔らかい心も必要だろう。今まで自分が積み上げてきたものを捨て去るという、アンラーニングの過程も大事だ。そして、こうした謙虚さに到達したとき、今まで気づかなかった些細なこと、たとえば、風の匂いや、他人のちょっとした優しさに、再び感謝できるようになるのではないか。

　今の僕にとって、本を読むとは、人々のそうしたかすかな囁きに耳を澄ますことだ。そしてまた、そういう気づきを共にわかち合うことだ。だからこそ、読書と学びの場作りは密接に関わっている。そのことを僕は、大学での教育で、あるいは朝日新聞の書評委員会で、そしてまたＮＨＫ文化センターでの講座で学びつつある。

　この本を読み終えたあなたも、そうした学びの共同体に加わっていってほしい。そして、いつか周囲の人たちと、あるいは僕と、読書を通して得た気づきをわかち合っていってほしい。この本がそのきっかけとなれば幸いである。

二〇二三年二月二〇日　日暮れの研究室にて

都甲幸治

大人のための文学「再」入門

2023年10月13日　第1版1刷発行

著者　都甲 幸治

編集・発行人　松本 大輔
編集長　山口 一光
ブックデザイン　小野寺 健介（odder or mate）
協力　神田 岬
担当編集　切刀 匠

発行：立東舎
発売：株式会社リットーミュージック
〒101-0051 東京都千代田区神田神保町一丁目105番地

印刷・製本：株式会社広済堂ネクスト

【本書の内容に関するお問い合わせ先】
info@rittor-music.co.jp
本書の内容に関するご質問は、Eメールのみでお受けしております。お送りいただくメールの件名に「大人のための文学「再」入門」と記載してお送りください。ご質問の内容によりましては、しばらく時間をいただくことがございます。なお、電話やFAX、郵便でのご質問、本書記載内容の範囲を超えるご質問につきましてはお答えできませんので、あらかじめご了承ください。

【乱丁・落丁などのお問い合わせ】
service@rittor-music.co.jp

Printed in Japan　ISBN978-4-8456-3923-6
定価2,420円（本体2,200円＋税10%）